Defensor menor

Dados Internacionais de Catalogação da Publicação (CIP)
(Câmara Brasileira do Livro, SP, Brasil)

Pádua, Marsílio de, m. 1342?–.
Defensor menor / Marsílio de Pádua ; tradução, introdução e notas de José Antônio Camargo Rodrigues de Souza. – Petrópolis, RJ : Vozes, 2019. – (Vozes de Bolso)

Título original: Defensor minor.
ISBN 978-85-326-6075-6

1. Ciências políticas – Obras anteriores a 1800 2. Filosofia política 3. Florença (Itália) – Política e governo – Até 1421 – Obras anteriores a 1800 4. Igreja e Estado – Obras anteriores a 1800 5. Marsílio, de Pádua, m. 1342? 6. Religião e política – História – Itália – Obras anteriores a 1800 I. Souza, José Antônio Camargo Rodrigues de. II. Título. III. Série.

19-24192 CDD-320

Índices para catálogo sistemático:
1. Ciências políticas 320

Maria Alice Ferreira – Bibliotecária – CRB-8/7964

Marsílio de Pádua

Defensor menor

Introdução, tradução e notas
José Antônio Camargo Rodrigues de Souza

Vozes de Bolso

Título do original em latim: *Defensor Minor*

Rua Frei Luís, 100
25689-900 Petrópolis, RJ
www.vozes.com.br
Brasil

Diagramação: Sheilandre Desenv. Gráfico
Revisão gráfica: Nilton Braz da Rocha
Capa: Ygor Moretti
Ilustração de capa: © Anneka | Shutterstock

ISBN 978-85-326-6075-6

Editado conforme o novo acordo ortográfico.

Este livro foi composto e impresso pela Editora Vozes Ltda.

Sumário

Introdução

Marsílio de Pádua é um dos mais controvertidos pensadores políticos do século XIV, por causa de suas ideias se distanciarem dos padrões comuns à época em que viveu. Pouco conhecido entre nós[1], seu pensamento tem sido objeto das mais variadas opiniões, dentre as quais ressaltamos a do Dr. José Pedro Galvão de Souza, o qual considera o Jurista Patavino um dos precursores da concepção de "Estado Totalitário"[2].

Devemos esclarecer que todo o labor intelectual desse notável pensador foi dirigido no sentido de combater a Teoria Curialista da *Plenitudo Potestatis*, a qual colocava a autoridade pontifícia em preeminência na "Societas Christiana", e dela fazia derivar todas as outras relações sociais[3].

O homem medieval concebia perfeitamente a religião como um fator de unidade político-social[4]. Admitia-se que muitas das recomendações de Cristo, existentes no Evangelho, tais como "que todos sejam um", "ide e ensinai a todos os povos", deveriam servir de modelo à compreensão hierocrática[5] da sociedade medieval, porque justamente o aspecto religioso conservava e alimentava a união entre os crentes.

Entretanto, Marsílio discordou desse "arranjo" curialista. Para manter e conservar tal unidade, não era necessário que o Sumo Pontífice, juridicamente e de fato, possuísse a plenitude do poder nas esferas civil e espiritual.

1 O Pensador e o Momento Histórico

Supõe-se que Marsílio de Pádua tenha nascido entre 1285 e 1290, de acordo com Noel Valois, segundo nos diz Georges de Lagarde[6]. Tal ponto de vista hipotético, porém razoável, merece nosso crédito se procedermos à seguinte inferência: consta no *Chartularium Universitatis Parisiensis* que o Pensador Paduano foi reitor da Universidade de Paris entre dezembro de 1312 e março de 1313. A esta altura, já deveria ter concluído o seu curso universitário. Além disso, naquela época, era tradição que o decano da Faculdade de Artes, após o término do seu mandato como tal, fosse posteriormente eleito Reitor de toda a Instituição. Consequentemente, o ano de seu nascimento deveria ter sido entre os supramencionados.

Segundo Albertino Mussato, seu amigo e contemporâneo, Marsílio pertencia a uma tradicional família paduana, cujo pai Bonmatteo Maynardini fora notário da Universidade de Pádua[7]. Portanto, conclui-se facilmente que o autor do “Defensor da paz” vivia num ambiente bastante culto e favorável aos estudos.

Admite-se, com muita propriedade, que Marsílio haja estudado Direito, embora, como nos diz J. Quillet, não tenhamos provas concretas a respeito, senão apenas alusões do próprio Mussato em suas cartas ao amigo[8]. Com tudo é perfeitamente razoável supor que sendo a sua própria cidade natal grande centro de cultura jurídica[9] e também não distante de Bolonha, foi aí que ele fez seus primeiros contatos com o saber jurídico.

Quanto aos estudos de medicina, cursados pelo nosso personagem, a questão é mais simples, pois ele exerceu a profissão de médico em Paris e mais tarde na corte do imperador Luís da Baviera. Também não se sabe com certeza se ele estudou Filosofia regularmente. Através da leitura de suas obras depreende-se que era um profundo conhecedor do pensamento aristotélico.

Entre 1311-1318, o Jurista Patavino esteve em Paris, ora exercendo a advocacia, ora a medicina. Sem dúvida alguma, foi durante esse período que deveria ter tomado contato com a literatura elaborada em favor de Filipe IV, pelos Legistas, contra Bonifácio VIII, poucos anos antes, defendendo os direitos do poder secular, em oposição à *Plenitudo Potestatis* arrogada por aquele pontífice[10].

Ele também deve ter percebido a enorme querela que agitava a Ordem Franciscana dividida em duas facções, a saber, Espirituais e Comunidade, por causa das interpretações dadas ao conceito de "usus pauper"[11] e também deve ter notado a repercussão desse conflito na França, onde, na cidade de Marselha, em 1318. Por ordem do papa João XXII foram queimados vários Espirituais acusados de hereges[12], no intuito de se pôr fim àquela disputa. O próprio Marsílio afirma que, inclusive, visitou a corte pontifícia em Avinhão[13], constatando os abusos e arbitrariedades cometidos pelo Pontífice e membros da Cúria.

Em 1318, ele recebeu uma provisão papal para exercer o canonicato em Pádua, fato esse que levou muitos historiadores a pensar que ele tivesse recebido ordens. Tratava-se apenas de uma "provisio sub expectatione praebendae" que não obrigava o contemplado a vincular-se sacramentalmente à hierarquia eclesiástica[14].

Em 1319, Marsílio representou diplomaticamente os líderes Gitaelinos Mateus Visconti e Can Grande della Scala, junto a outros potentados do norte da Itália, contra Roberto de Anjou, rei de Nápoles, líder Guelfo e vigário pontifício para a Itália, o qual por ordem do Santo Padre combatia os aliados de Luís da Baviera, imperador eleito em 1314, a quem João XXII não queria reconhecer como tal.

Foi durante todo esse tempo que Marsílio colheu paulatinamente o material do *Defensor pacis*, enquanto paralelamente se instruía e convivia com juristas de renome entre os quais João de Jandum e Pedro d'Abano que por sinal havia sido seu professor anos antes[15].

De volta a Paris, fugindo à guerra entre os Guelfos e Gibelinos, que assolava a sua pátria, Marsílio e Jandum, em colaboração, puseram-se a redigir a obra que iria notabilizá-los. É notável a influência deste célebre pensador averroísta no plano intelectual da mencionada obra[16].

Os dois mestres parisienses resolveram naquele tratado externar seu pensamento, a fim de acabar de vez com a disputa entre o "Sacerdotium" e o "Imperium", representada agora por João XXII e Luís IV. Visavam denunciar a pretensão do Papado ao exercício do poder terreno, ao mesmo tempo que procuravam mostrar qual deveria ser o verdadeiro papel da Igreja na sociedade[17], papel esse, no nosso modo de ver, bastante limitado, mas coerente com o propósito marsiliano.

O *Defensor da paz* foi concluído a 24 de junho de 1324[18], mas só veio a lume dois anos mais tarde na cidade de Paris, causando grave escândalo por causa das suas ideias revolucionárias e antipapais. O livro e os autores foram denunciados perante a Cúria Pontifícia. Temendo as represálias inevitáveis ambos preferiram refugiar-se em Munique na corte do imperador Luís IV.

Mas afinal o que motivara essa nova disputa entre o Império e o Papado? A resposta à questão encontra-se nas eleições imperiais de 1314. Dois príncipes germânicos, Luís da Baviera e Frederico da Áustria, candidataram-se à sucessão de Henrique VII (1308-1313). Cinco dos príncipes eleitores optaram pelo duque da Baviera e três pelo de Habsburgo. Ambos foram coroados, sendo que Luís o foi no lugar costumeiro pelo arcebispo de Mogúncia e Frederico foi coroado em Bonn pelo arcebispo de Colônia[19]. Obviamente, o primeiro caminho para solucionar esse impasse era o das armas, e os dois rivais permaneceram em frequentes escaramuças até 1316.

No ínterim, os dois inimigos resolveram apelar para João XXII recém-eleito papa. Este deveria manifestar-se abertamente por um dos dois candidatos. Mas o "Bávaro", interessado na prosperidade mercantil das cidades do norte da Itália, passou a apoiar os Gibelinos contra os Guelfos, confirmando nos cargos de vigários imperiais a Mateus Visconti e a Can Grande della Scala. Além disso enviou reforços contra Roberto de Anjou, o qual continuava exercendo a função de vigário papal para a Itália. Por isso o papa João XXII não se pronunciou por nenhum dos candidatos, pois influenciado pelo Rei de Nápoles, que ambicionava estender sua autoridade sobre toda a Península Itálica, salvaguardados os domínios papais, tentou restabelecer a paz entre

Guelfos e Gibelinos, avocando a si a administração do Império durante a vacância do trono imperial.

O tempo passava e como a vitória militar não sorrisse aos Guelfos, João XXII resolveu interferir mais eficazmente no conflito enviando novos auxílios a seus partidários à frente dos quais se encontrava o cardeal Bertrando de Pogetto.

Enquanto isso, na Alemanha, a guerra civil ia prosseguindo, até que a 28 de setembro de 1322 Luís da Baviera derrotou o rival na batalha de Mühldorf e o aprisionou. Em seguida, pôde enviar tropas alemãs para ajudar seus aliados. Os Gibelinos conseguiram derrotar os Guelfos e recuperar Milão. Após essa vitória os partidários do "Bávaro" obtiveram a supremacia imperial no norte da Itália.

Ao papa João XXII só restava aplicar uma arma muito temida na Idade Média, a excomunhão. Os canonistas inicialmente redigiram documentos nos quais Luís IV era acusado de usurpador do trono imperial pelo fato de sua eleição não ter sido confirmada pelo papa, ao qual, de acordo com um novo costume, cabia esse direito. Além disso, os referidos documentos tornavam ilegal aquela escolha devido a haverem concorrido dois candidatos ao mesmo trono[20].

Em seguida o próprio papa tomou a iniciativa, ameaçando com a excomunhão caso o imperador não abandonasse o trono usurpado, com a agravante de ter apoiado hereges contumazes[21]. O monarca naturalmente não se submeteu a tal imposição e em 23 de março de 1324 acabou sendo excomungado. Sua reação contra o ato pontifício não tardou, através de veemente e longo manifesto publicado em Sachsenhausen a 22 de maio do mesmo ano[22].

O referido manifesto acusava João XXII de inúmeras arbitrariedades, entre as quais a de não reconhecer como rei dos romanos aquele que fora eleito pela maioria dos príncipes eleitores e há muito já governava toda a Alemanha em concórdia[23].

Um dos trechos mais longos do documento acusava o papa de herege notório por ter desacreditado a Sagrada Escritura e contestado a definição de outros papas negando a doutrina da pobreza de Cristo e dos Apóstolos[24]. Essa tese era defendida pela grande maioria da Ordem Franciscana, como fundamento de seu ideal religioso. Todavia o Sumo Pontífice negara esse ponto de vista através das bulas *Ad Conditorem Canonum* e *Cum Inter Nonnullos* (1322-1323), porque o mesmo constituía um ataque frontal à riqueza possuída e ambicionada pela Igreja.

O documento terminava com um apelo do imperador à Igreja, no sentido de convocar um concílio geral para julgar o papa que ele considerava herege[25]. Esse novo matiz inserido nas disputas teóricas entre os dois poderes já havia sido usado anteriormente por ocasião do conflito entre Gregório IX e Inocêncio IV e o imperador Frederico II em 1245 e, mais recentemente, quando se defrontaram Bonifácio VIII e Filipe IV (1302). Os soberanos seculares e seus partidários, vetando a interferência papal nos negócios seculares, apelavam para uma instância que achavam superior, tendo como pressuposto a heresia pontifícia[26].

João XXII não se incomodou com as diatribes do "Bávaro", e excomungando-o novamente fez questão de reiterar em ato público as sanções contra tal espécie de réu. Em seguida, enviou à Itália o cardeal João Orsini, capitaneando um poderoso exército, para continuar a guerra contra os Gibelinos, liderados por Castruccio Castracane, o qual ainda resistiu por dois anos.

Inferiorizados numericamente, estes pediram a Luís IV que viesse pessoalmente à Península Italiana combater os poderosos inimigos. O imperador atendeu ao apelo e em 13 de março de 1327 ele chegou a Trento. Nessa cidade, aconselhado por Marsílio de Pádua, João de Jandum e alguns franciscanos rebeldes, publicou um novo manifesto, no qual acusava o papa João XXII de herege por não admitir a pobreza absoluta de Cristo e dos Apóstolos.

Entretanto, no dia 23 de outubro, Marsílio de Pádua e João de Jandum foram condenados pelo papa João XXII, através da bula *Licet Iuxta Doctrinam*, devido a terem apresentado e defendido ideias perigosas em sua obra. Caso não se retratassem seriam excomungados inexoravelmente.

Por outro lado, os romanos, na iminência da chegada de Luís da Baviera, solicitaram ao Romano Pontífice que regressasse à Cidade Eterna. Como este não atendesse aos reiterados apelos, em represália, o povo uniu-se às tropas imperiais e juntos derrotaram os Guelfos.

Em seguida, os vencedores organizaram um governo nos moldes preconizados por Marsílio de Pádua. O Imperador, ao chegar a Roma, a 7 de janeiro, tratou de obter sua confirmação como rei dos romanos, através de um referendo popular. Posteriormente foi entronizado por Sciarra Colona, agora investido na função de capitão do povo[27].

Prosseguindo na execução das ideias marsilianas, no dia 12 de maio, Luís IV instalou uma comissão incumbida de escolher um novo papa em substituição a João XXII, considerado por ele e seus partidários como herege e por conseguinte deposto das funções pontifícias.

O franciscano Pedro de Corvara[28] foi escolhido papa. Tomou o nome de Nicolau V, provavelmente em homenagem ao primeiro papa franciscano, Jerônimo de Ascoli, o qual governou a Igreja com o nome de Nicolau IV de 1288 a 1292.

Durante esses eventos, Marsílio ia desfrutando de grande prestígio junto ao imperador, de quem recebeu o título de vigário imperial para a cidade de Roma. O antipapa Nicolau V nomeou-o arcebispo de Milão.

Entretanto, os sucessos imperiais duraram pouco tempo. As forças militares napolitano-papais reorganizaram-se e investiram contra Roma.

As tropas imperiais conseguiram resistir durante algum tempo, até que os romanos, descontentes com a atuação política de Marsílio de Pádua, se rebelaram. Luís IV e seus comandados foram obrigados a deixar a Cidade dos Césares a 4 de agosto, rumando para o norte da Itália.

A perseguição continuou intensamente de forma que Marsílio nem chegou a tomar posse de sua arquidiocese e a 15 de setembro João de Jandum acabou falecendo quando rumavam para a Alemanha.

A partir de então, o Jurista Patavino passou a residir na corte imperial em Munique dedicando seu tempo ao exercício da medicina e aconselhando o imperador, politicamente.

Foi então que começou a crescer cada vez mais a rivalidade entre os Legistas capitaneados por Marsílio de Pádua e os franciscanos rebeldes liderados por Miguel de Cesena, ex-ministro geral da Ordem, excomungado por João XXII em 1329. Estes, muito atuantes, desfrutavam de grande prestígio e influência, talvez até mais do que o Pensador Paduano, junto à Cristandade, pois entre eles se encontravam o velho advogado da Ordem Bonagrázia de Bérgamo e o filósofo e teólogo Guilherme de Ockham.

Conforme Lagarde[29] tal rivalidade acentuou-se, principalmente quando, entre 1331-1333, Luís IV tentou reaproximar-se do Papado, servindo-se da mediação do cardeal Napoleão Orsini e dos franciscanos. Todavia, os mediadores e a Cúria Romana consideravam a presença de Marsílio em Munique como o principal obstáculo à reaproximação do papa com o imperador[30].

Entre 1341-1342, novamente, a rivalidade se reacendeu. Luís IV por motivos político-dinásticos quis casar seu filho Luís de Brandemburgo com Margarida Maultasch, duquesa do Tirol e esposa de Henrique de Luxemburgo Morávia, filho do até então aliado do imperador, o rei João da Boêmia. Como o casamento se não havia consumado, existia a possibilidade de sua anulação pela Igreja, mas esta não concretizou tal aspiração do imperador, devido ao conflito Império/Papado que já se vinha estendendo por três décadas e devido ao fato de haver impedimento de consanguinidade entre os pretendentes.

Marsílio e Ockham foram então convidados a escrever um tratado, no qual deveriam analisar aquela situação delicada e oferecer uma solução aos impasses. O Franciscano Inglês redigiu o *Consultatio de Causa Matrimoniali* e Marsílio o *De Iurisdictione Imperatoris in Causis Matrimonialibus*.

A última vez que o Jurista Patavino tomou da pena a fim de justificar e defender seus pontos de vista foi provavelmente em 1342, ao redigir o *Tractatus de Translatione Imperii* e o *Defensor minor*, síntese do Defensor da paz e ao mesmo tempo uma réplica à III parte do *Dialogus*, no qual Ockham refutara as teses de Marsílio.

A data de sua morte ainda permanece ignorada. Acredita-se que tenha falecido no princípio de 1343, pois o papa Clemente VI (1342-1352) em uma alocução proferida a 10 de abril daquele ano fez referência ao passamento de Marsílio: "...ipse enim Marsilium de Padua et Iohannem de Jandum heresiarchos et heresi condemnatos sustinuit et secum traxit usque ad mortem eorum..."[31].

2 A Cosmovisão de Marsílio de Pádua

Já afirmamos que o ponto de vista de Marsílio a respeito da *Plenitudo Potestatis* só pode ser compreendido através da análise conjuntural de seu pensamento: origem, estrutura e finalidade da sociedade e do Estado; a Igreja, a hierarquia eclesiástica, o concílio geral, o problema da legitimidade do poder, a representação democrática, a "Valentior Pars", enfim o Estado dessacralizado.

Nada exprimiria melhor a finalidade do Defensor da paz do que os objetivos propostos pelo seu autor ao redigi-lo: "...Este tratado chamar-se-á Defensor da paz, porque nele são tratadas e elucidadas as principais causas, através das quais a paz civil ou a tranquilidade deve existir e perpetuar-se. Na verdade, este livro dá a conhecer o que vem a ser a autoridade, a causa e a concordância entre as leis divina e humana e de todo o poder coactivo..."[32]

Bem se pode constatar nas intenções de Marsílio a finalidade prática de seus ensinamentos. Paz é sinônimo de tranquilidade. Só há paz quando há harmonia social que por sua vez implica nos conceitos de ordem e equilíbrio. Portanto, para ele, o equilíbrio social existia, mas foi rompido em sua época, de forma que então se fazia necessário mostrar à sociedade e provar-lhe quem foi que o rompeu.

Para que tal equilíbrio existisse, socialmente falando, Marsílio afirmou ser necessário haver uma autoridade a quem os demais membros da coletividade estivessem subordinados a fim de que a harmonia sempre se conservasse. Curiosamente, as raízes das palavras harmonia e princípio na língua grega são idênticas. Vejamos: *ar*, cujo significado etimológico tem como equivalente em português os vocábulos ordem, uniformidade, disposição ordenada. Assim para o Pensador Patavino devia haver um único poder que naturalmente não contrariasse as leis divina, natural e humana, organizado com o intuito de reger a sociedade. Ele insinuava claramente que os Canonistas, invocando a Escritura como única fonte legal para legitimar a autoridade espiritual, se esqueciam de que o próprio Estado surgiu primeiro do que a Igreja, daí a causa desse conflito, enquanto ambas as autoridades, religiosa e civil, disputavam entre si a hegemonia sobre a Cristandade.

Ele claramente chamou a atenção do governante para os caminhos que devia trilhar, acreditando, em sã consciência, que seus conselhos eram indispensáveis para uma boa organização social: "...Em outras palavras, o Príncipe[33] verá e compreenderá, com a ajuda deste livro, aqueles elementos essenciais que constituem qualquer cidade e tudo aquilo que é preciso fazer para conservar a paz e a própria autoridade. Com efeito, se o Primeiro Cidadão ou a Parte Mais Importante do regime civil, o Príncipe, quer seja um ou muitos, compreender através das verdades divinas e humanas, escritas neste livro, que somente a ele pertence a autoridade de dirigir todos os que lhe estão subordinados, na totalidade ou em separado, e de punir quem quer que seja, se for necessário, de acordo com as leis estabelecidas, e que não deverá fazer nada que as contrarie especialmente em se tratando de um problema importante, sem o consenso dos súditos ou do legislador..."[34]

Para que o governante conserve o poder e mantenha a paz social, deverá sempre agir de acordo com as leis de forma que, agindo com justiça, ele pode punir ou premiar, quando for necessário. Indubitavelmente Marsílio censurou a arbitrariedade dos governantes, considerada também como um dos fatores de desordem social, pois neste caso os cidadãos devem ter o direito de se rebelar mesmo com perigo de haver uma guerra civil: "...Desde que estas verdades sejam bem-entendidas e observadas, o reino, ou qualquer comunidade civil equilibrada[35], saberá resguardar-se na paz e tranquilidade; assim sendo, aqueles que vivem na cidade obterão a autossuficiência nesta vida terrena, pois sem paz naturalmente não há autossuficiência, por conseguinte, as pessoas estarão malpreparadas para a vida eterna..."[36]

Marsílio acreditava que a vida terrena é o meio de atingirmos a vida eterna, desde que vivamos bem em comunidade. Para tanto, importa o que é certo e não somente isso, mas também agir da mesma maneira. É importante salientarmos desde já a profunda conexão entre a vida terrena e a vida futura, mesmo porque, embora ele tenha sido o teórico do Estado laico em plena "Idade Teocêntrica", Marsílio não eliminou o conceito de sociedade cristã. Pelo contrário, ele ampliou-o de forma que a sociedade civil deveria ter o comando entre os vários organismos sociais porque o próprio povo é o principal interessado na paz, na prosperidade, na segurança, enfim na tranquilidade.

Na sociedade idealizada pelo Pensador Paduano há o predomínio da Lei, do Direito e do Bem Comum. O governo é instituído para o povo, mas é exercido pelo imperador, mandatário dos cidadãos.

Não é absurdo, portanto, quando Marsílio estabelece o próprio imperador como chefe supremo da Cristandade, pois sustentava que o mesmo, antes de tudo, era um "Minister Dei", salientando a missão divina do chefe da sociedade; "...desejando propagar a verdade, ardendo de amor por minha pátria e meus irmãos, movido de compaixão pelos oprimidos e por sua proteção querendo desviar do erro os opressores e aqueles que favorecem esse estado de coisas, muito mais, no sentido de sublevar aqueles que podem e devem opor-se-lhes, particularmente dirigindo minha atenção para ti, que como ministro de Deus darás a esta empresa o fim que ela aspira receber do exterior, muito ilustre Luís, Imperador dos romanos[37] em virtude de um direito de sangue antigo e privilegiado... tu que estás animado por um zelo inato e inquebrantável em extirpar as heresias, impor e manter a verdadeira doutrina católica e todas as outras sábias doutrinas, destruir os vícios, propagar as virtudes, acabar com os litígios, restabelecer a paz em toda a parte e fortificá-la..."[38]

Ao expor esse ponto de vista, Marsílio, de um lado, acrescentava um novo aspecto ao pensamento político medieval, enquanto atribuía ao governante civil a missão espiritual, devido à própria posição social do soberano, ocupando o primeiro lugar na sociedade em razão de a autoridade espiritual ser herege e inapta a sanar o problema que afetava a coletividade. Por outro lado, o nosso autor levava às últimas consequências um princípio comumente aceito na Cristandade, cuja origem se encontrava entre os hebreus, a saber, a unção real. De acordo com a tradição judaico-cristã o soberano, ao ser ungido, desempenhava uma missão especial e até mesmo santificante junto à comunidade. Por isso o imperador estava apto para inclusive exercer atividades no âmbito espiritual e, no fundo, a tese marsiliana não deixava de ser cesaropapista.

Isso não deixava de ser uma tentativa doutrinária de ajustar as ideias hierocráticas às ideias políticas dentro da sociedade. E no *Defensor minor* ele voltou a insistir sobre elas, conforme será visto adiante.

É importante notar também que, ao longo de toda a Dictio I, Marsílio insistia no caráter eletivo da escolha do Príncipe. Tal ponto de vista também refletia na própria escolha do papa, de forma que Deus devia ser considerado como causa remota da autoridade: "...Foi assim que a vontade divina estabeleceu o governo do povo israelita na pessoa de Moisés e de certos Juízes depois dele, igualmente o sacerdócio na pessoa de Aarão e de seus sucessores... portanto, é diferente do estabelecimento dos governos que procedem imediatamente da razão humana. Assim Deus é a causa remota. É Ele que permite também a existência de todo o governo terrestre, de acordo com o que afirma São João no capítulo 19 e conforme diz claramente o Apóstolo Paulo em sua Epístola aos Romanos, capítulo 18 ...mas Deus não age sempre imediatamente. Na maior parte das vezes, e quase sempre, Ele estabelece os governos através da razão humana à qual Ele conferiu a liberdade..."[39]

Inquestionavelmente Marsílio propunha um Estado leigo, simplesmente uma sociedade civil na sua origem, por vontade e necessidade puramente humanas.

Já na Dictio II o autor insistiu no fato de o poder do governante civil ter sua origem em Deus, daí sua justificativa para que ele pudesse interferir no âmbito espiritual. Seria uma contradição? Tal dúvida não nos parece real porque Marsílio via a simultaneidade das duas características na pessoa do soberano: eleição pela "Valentior Pars" e representação da vontade divina neste mundo. Em última instância, para o Pensador Patavino, toda a forma de poder tinha como causa remota o próprio Deus: "...O Santo Apóstolo igualmente ordenou que todos os homens sem distinção, bispo, padre ou diácono, se subordinassem à autoridade coactiva dos juízes ou príncipes seculares e que não lhes opusessem resistência exceto se os mesmos ordenassem alguma coisa contrária à Lei da Salvação eterna. É por isso que ele diz na Epístola aos Romanos, capítulo 13: toda a criatura se submeta aos poderes superiores, porque não há poder que não venha de Deus, e os poderes que existem foram estabelecidos por Deus. Por isso quem resiste à autoridade resiste à ordem estabelecida por Deus..."[40] A conclusão é lógica: se o poder do governante deriva diretamente de Deus, este poder é perfeitamente independente do poder espiritual e deve ser exercido sobre todas as pessoas.

Poderíamos então formular a seguinte pergunta: Afinal o que deve prevalecer, o caráter institucional ou o divino do poder, o que é superior, uma verdade racional ou uma verdade fundamentada na fé? Exatamente aqui surge outro componente das ideias marsilianas. Marsílio escapa desta indagação graças à sua concepção averroísta, ou seja, não há uma distinção clara entre as coisas que são provadas racionalmente e aquelas que se provam por intermédio da Escritura. Consequentemente, pode existir algo que é verdadeiro sob o ponto de vista religioso e não pode ser provado pela razão e vive-versa[41].

Essa questão é tratada pelo Pensador Italiano no final de seu livro. Ele coloca o problema perguntando qual seria o poder mais perfeito: o civil ou o eclesiástico? Qual seria a função mais nobre? A sacerdotal ou a real? Dependendo do ponto de vista, um poderia estar subordinado ao outro, já que na boa lógica aristotélica aplicada à Metafísica o perfeito sobrepõe-se ao imperfeito ou ao menos perfeito. Contudo, a concepção averroísta no tocante às duas verdades não encontra dificuldade nessa situação, pois não se pode afirmar que pelo fato de uma pessoa praticar uma ação mais nobre e mais perfeita como consagrar pão e vinho, que ela deva ser independente de uma outra pessoa que pratica um ato menos perfeito e menos nobre, por exemplo a arte da guerra, do poder de fato... "...quanto ao argumento que sustenta que aquele cuja ação é mais nobre ou mais perfeita não se deve subordinar, em matéria de jurisdição coactiva, àquele cuja ação é menos nobre[42], como é o que se afirma a respeito da ação do sacerdote ou do bispo face à praticada pelo príncipe, pois praticam ação mais nobre e mais perfeita ao consagrar a Eucaristia ou quando distribuem os demais sacramentos da Igreja (isto respeita às atividades sacerdotal e episcopal) do que aquele que julga e avalia os atos humanos contenciosos ou civis (tal mister é atribuição exclusiva do príncipe ou daquele que possui a jurisdição coactiva). Refuta-se afirmando que a premissa maior é falsa e deve ser negada se considerada genericamente, pois, se a proposição for considerada de forma não universal, o raciocínio não possuirá a forma requerida. Se considerarmos a premissa menor universalmente, isto é, aplicada a toda a espécie de sacerdote e sacerdócio, também seria objetada, pois em outras religiões a ação sacerdotal não é considerada mais nobre do que a ação dos príncipes...[43], mas apenas na religião cristã... e nós acreditamos nisso exclusivamente por causa da fé..."[44]

De qualquer forma, este problema é muito delicado e não chegou a ser explicado com clareza por Marsílio. No entanto, podemos concluir que há uma estreita inter-relação entre os dois poderes, além da subordinação do poder espiritual ao civil: "...o sacerdócio recebe do principado a justiça aplicada nos seus atos civis, e também proteção contra a injustiça... reciprocamente o principado tem necessidade da ação sacerdotal, pois através dela recebe a doutrina e os sacramentos, graças aos quais se desvia daquilo que é contrário à sua finalidade. Mas o principado e o sacerdócio agem e relacionam-se de maneira diversa, pois o príncipe é o juiz coactivo neste mundo por determinação divina... podendo licitamente impor suas leis de maneira obrigatória, castigando e punindo, mesmo que o sacerdote não queira, caso ele as transgrida (elas não são contrárias à lei divina)... quanto ao bispo ou ao sacerdote, conforme a própria lei divina, não são juízes de ninguém neste mundo... consequentemente é falsa a premissa segundo a qual aquele que pratica uma ação mais perfeita não deve estar subordinado jurisdicionalmente àquele que executa uma ação menos perfeita..."[45]

Isto posto, vejamos como Marsílio constrói de fato o assim chamado "Estado leigo" e como explica a origem da sociedade. Esta surge quando os homens, movidos pela necessidade de permutar seus bens, se concentram em determinado lugar para satisfazer essa necessidade natural, indispensável à subsistência: "...os homens reúnem-se para viver de maneira suficiente e buscar os bens de que necessitam, por isso dialogam e combinam entre si trocando seus bens..."[46]

Assim, a sociedade existe para que o homem viva bem[47], satisfazendo suas necessidades, através da convivência social. Por outras palavras, isto é o que constitui a paz. Ela conserva-se graças à unidade de comando na sociedade, de forma que a autoridade não pode estar dividida. O Pensador Paduano reivindica a unidade e a superioridade para a pessoa do imperador e não para a pessoa do papa. É uma tese justamente contrária à da doutrina canônico-hierocrata[48].

No *Defensor pacis* há uma verdadeira Teoria do Estado, ou seja, uma síntese de conhecimentos jurídicos, filosóficos, políticos e históricos. Valendo-se desses conhecimentos, o autor serve-se deles para buscar o aperfeiçoamento do Estado, concebendo-o como um fato social e um organismo que procura atingir seus fins com eficácia e justiça[49].

A justificação da ordem existente na sociedade não é concebida como nos pensamentos políticos de Santo Agostinho ou Santo Tomás, a partir de considerações de natureza teológica. Inquestionável, porém, é o papel da Igreja que passa a ser uma espécie de departamento estatal. Esta é uma tese inovadora e por conseguinte diametralmente oposta às concepções da época, já que o Estado é que praticamente fazia parte da Igreja, a qual lhe havia concedido o gládio material.

A moderna definição de Estado, como sendo a corporação de um povo estabelecida em determinado território e provida de um poder originário de comando, bem poderia ser atribuída, em suas ideias principais, a Marsílio de Pádua. Através dessa definição notamos a característica mais importante do conceito de Estado, qual seja o poder originário de mando não contestado, isto é, a soberania una, indivisível, inalienável e imprescritível. Por isso é que não pode haver grupos de pressão que disputem a liderança da sociedade; é assim negado à Igreja um poder autônomo, isto é, a *Plenitudo Potestatis*. A única solução para não deixar a Igreja fora do Estado – o que seria perigoso – é associá-la, assimilá-la e atribuir-lhe uma função: "...a finalidade do sacerdócio é pois a educação dos homens e o ensino daquilo que eles precisam crer, fazer ou evitar segundo a Lei Evangélica, para obterem a salvação perene e escapar da condenação eterna..."[50]

Como se pode depreender, Marsílio de Pádua não nega, nem elimina o conceito de Cristandade: "communitas perfecta omnium fidelium". Para ele, a Cristandade deveria caracterizar-se por ter como chefe um príncipe cristão agindo por delegação do legislador humano (o povo em abstrato). Desta forma, a comunidade cristã estaria obedecendo concomitantemente aos preceitos das leis divina e humana. Só que tais preceitos, no âmbito civil, deveriam ser ordenados pelo imperador e não pelo papa e aquele, por enfeixar todo o poder, exerceria a autoridade legítima de coerção para salvaguardar ao mesmo tempo a unidade na fé, a paz e a tranquilidade[51].

A aplicação do princípio da soberania popular ao Estado acabou repercutindo nas próprias instituições estatais (o sacerdócio, a justiça e o exército), de forma que, sendo e Igreja uma dessas, acabou por sofrer as consequências naturais desse ponto de vista, por exemplo, no que tange aos problemas eclesiológicos, os quais deveriam ser resolvidos pelos representantes de todos os fiéis reunidos em Concílio Geral, pois é este organismo que representa mais perfeitamente a vontade, os anseios e expectativas de todos os fiéis. Consequentemente, esse organismo teria poderes superiores ao do papa nas decisões concernentes à Cristandade e até sobre o próprio papa[52].

Além disso, não podemos esquecer-nos de que a obra do Pensador Paduano praticamente está dividida em duas grandes partes, se tomarmos a Dictio III apenas como considerações finais a toda a obra. Assim, na Dictio I se encontra a Política Marsiliana, enquanto na Dictio II, praticamente duas vezes maior que a parte anterior, Marsílio expõe a sua eclesiologia, tendo como pano de fundo a heresia do papa João XXII no tocante à Pobreza Evangélica e seu consequente impedimento na liderança da Cristandade, face aos seus ensinamentos contra o próprio Evangelho.

Todavia o mencionado pontífice não foi deposto em virtude de desfrutar da plenitude de poderes, de forma que a meta primordial do Pensador

Italiano nesta segunda parte consistiu em refutar aquela concepção, prejudicial à Cristandade sob todos os aspectos.

Fliche e Martin colocam muito bem a questão: "...Au second livre surtout, les nombreuses exégèses scripturaires indiquent la place positive qui est faite à la loi chrétienne. Il semble pourtant, que les auteurs du Defensor pacis n'aient invoqué l'Ecriture que pour mieux lutter contre les prétentions pontificales et que le souci de conserver sa pureté évangélique à la religion du Christ compte moins pour eux que l'instauration d'un État fort, debarassé de toute tutelle cléricale... le Denfensor pacis sera invoqué par le Concile de Constance..."[53].

3 O Defensor menor

O texto do *Defensor menor* chegou até nossos dias através de um só manuscrito do final do século XV, encontrando-se hoje na Bodleian Library de Oxford sob o nº 188 (f 71vº-80vº). Foi editado pela primeira vez em 1922 por C. Kenneth Brampton.

Esse manuscrito contém ainda todas as outras obras de Marsílio de Pádua exceto o pequeno tratado *Sobre a Jurisdição do Imperador em Questões Matrimoniais*[54].

O *Defensor menor* alicerça-se fundamentalmente no *Defensor pacis* e ainda no Novo Testamento e nos escritos de alguns Padres da Igreja, nomeadamente Santo Ambrósio, Santo Agostinho, São João Crisóstomo e São Bernardo, entre outros.

Nesta obra o Jurista Patavino retoma as principais teses doutrinário-eclesiológicas apresentadas no *Defensor da paz* analisando e justificando seus pontos de vista. Essas teses de um lado visam esclarecer o que ele pensava realmente acerca do Novo Testamento e do que se pode inferir do mesmo, como a única fonte da Revelação e da lei divino-cristã, da confissão e da comutação das penas, do Concílio Geral e da heresia, e, por outro lado, têm como propósito desmantelar a teoria da *Plenitudo Potestatis* na esfera espiritual e seus desdobramentos no âmbito secular. Marsílio dirige suas críticas principalmente ao chamado "Poder das Chaves", ao Poder Petrino e suas consequências no tocante à condenação dos hereges, à excomunhão, à concessão de indulgências, à dispensa de promessas e votos feitos a Deus. Essa é a temática dos doze capítulos iniciais do *Defensor menor*.

Os capítulos XIII-XVI tratam do casamento na religião cristã. O assunto desses capítulos é o mesmo que o abordado no opúsculo acima referido, apresentando algumas pequenas variações que serão indicadas no corpo da tradução.

O Pensador Paduano considerava o casamento como um ato peculiar da espécie humana, assentado na decisão livre e espontânea dos noivos que se dão um consentimento mútuo e se comprometem a propagar o gênero humano, vivendo em sociedade. Portanto, é uma ação que antecede a instituição da religião cristã, de modo que não pode ser considerada como algo essencialmente espiritual, embora tenha sido transformado em Sacramento pela Igreja.

No entanto, os ministros eclesiásticos consideram o matrimônio cristão exclusivamente como algo espiritual e por isso reivindicam o direito de julgar as pessoas e as questões relacionadas com o mesmo, por exemplo, divórcio, dispensa de consanguinidade.

Considerando-se que o casamento é uma ação transitiva com dimensões sociais, compete, por conseguinte, ser regulamentado pelo Legislador Humano ou Príncipe, visto enquadrar-se no âmbito de sua autoridade como ordenador de todas as atividades sociais, pois ele detém exclusivamente o poder coercivo que lhe fora outorgado pelo "conjunto dos cidadãos" ou "sua parte mais relevante". Assim sendo, compete-lhe, segundo nosso autor, não só dissolver um casamento, mas também conceder uma dispensa entre parentes, de modo que os mesmos possam vir a se casar, porque essa concessão não era proibida pela lei divino-cristã.

Porém, isto não significava que o Príncipe tivesse o direito de se imiscuir em problemas ou discussões essencialmente espirituais, porque os mesmos não se enquadravam na alçada de seu poder. Todavia, ele, enquanto líder supremo da sociedade cristã, tinha exclusivamente a autoridade política na medida em que devia decidir sobre as coisas lícitas que podiam ser feitas e as ilícitas que jamais deveriam ser efetuadas pelos cidadãos. Era-lhe, pois, necessário conhecer o que lhe competia julgar e ordenar tanto em questões e assuntos meramente seculares quanto espirituais.

Aliás, parte do texto do capítulo XVI da obra em apreço corresponde justamente aos argumentos contidos na *Forma Dispensationis* do impedimento de consanguinidade entre Luís de Brandemburgo e Margarida Maultasch, sancionada por Luís IV, a fim de que os pretendentes pudessem vir a se casar. Essa temática está igualmente em perfeita sintonia com o resto do tratado, pois não deixa de ser também uma contestação da existência de qualquer poder jurisdicional-coercitivo nas mãos dos ministros eclesiásticos. Reflete simultaneamente as preocupações de Marsílio de Pádua acerca da disputa pela preeminência na Cristandade entre o Papado e o Império e, ainda, em torno do fato sociopolítico de vital interesse estratégico à política imperial de Luís IV naquele momento histórico, relacionado com as núpcias do jovem marquês de Brandemburgo com a duquesa da Caríntia-Tirol.

Admitindo-se a hipótese de que o *De Jurisdictione* de Marsílio e a *Consulta sobre uma Questão Matrimonial* de Ockham[55] tenham sido escritos, como tudo leva a crer, antes do casamento realizado entre os mencionados primos no início de 1342, e considerando-se que os últimos capítulos do *Defensor minor* referem-se indiretamente ao referido matrimônio, é possível afirmar com relativa segurança que Marsílio de Pádua o redigiu entre 1340-1341.

Nosso ponto de vista apoia-se numa afirmação de Léon Baudry: "Marsile réplique aux critiques de Guillaume dans son Defensor minor, composé vers la fin de 1341"[56].

Mas que críticas são essas, às quais se refere o notável especialista no pensamento político de Ockham e onde se encontram? Ora, com efeito, lendo-se o *Defensor minor* constatamos igualmente que o Jurista Patavino preocupou-se meticulosamente em reiterar e comprovar suas opiniões manifestas no *Defensor pacis* a respeito do Novo Testamento como fonte exclusiva da revelação, da infalibilidade do Concílio Geral e da negação do poder papal até mesmo na esfera espiritual, questionando a legitimidade do "Poder das Chaves".

O próprio Léon Baudry nos oferece uma pista acerca de ambas as questões. O "Venerabilis Inceptor", na III Parte do *Dialogus*, redigido por volta de 1340, "...y discute, en quatre livres, de la puissance du pape, de la monarchie pontificale, des sources de la foi et de la primauté apostolique... (p. 212). Maintenant il a pris connaissance du Defensor pacis: il en a le texte entre les mains; il le cite, il l'analyse, il le dissèque..." (p. 217).

Os textos do *Defensor pacis* citados pelo "Princeps Nominalium" concernentes aos temas citados acima e a refutação dos mesmos podem ser encontrados no *Dialogus* (ed. Melchior Goldast, *Monarchia Sancti Romani Imperii*, vol. II, Francofordie, 1614), às páginas 822-837; 846-850; 858-859.

Finalmente para a tradução do *Defensor minor* utilizamos a edição crítica de Colette Jeudy e Jeanni-ne Quillet publicada pelo Centre National de la Recherche Scientifique, Paris, 1979, intitulada *Marsile de Padoue. Oeuvres Mineures*.

José Antônio C. Rodrigues de Souza

Defensor menor

Princípio do livro intitulado *Defensor menor* editado por Mestre Marsílio de Pádua, após ter escrito o *Defensor da paz* maior

I

1 – Expusemos na obra anterior acima referida, que, de acordo com o ensinamento do Mestre das Sentenças (Pedro Lombardo), os sacerdotes possuem um determinado poder de atar e desatar, excomungando os pecadores e excluindo-os da participação dos bens, tanto espirituais quanto civis ou temporais, bem como da comunidade dos outros fiéis. Eles denominam jurisdição esse poder. É muito oportuno procurar saber a respeito da natureza do mesmo incluindo as diferentes acepções do termo citado e se, num certo sentido, uma jurisdição especial do imperador é ou não proveniente dos bispos ou dos sacerdotes.

2 – Portanto, a jurisdição, como seu nome indica, é o enunciado do direito ou a mesma coisa que exercê-lo. O direito é, porém, a mesma coisa que a lei. Esta, no entanto, pode ser divina ou humana. E tomando-a em sua última e correta acepção, conforme escrevemos no capítulo 10, primeira parte, do *Defensor da paz*, afirmamos que a Lei Divina é um preceito imediato de Deus, sem nenhuma participação humana, estatuindo a respeito dos atos humanos e voluntários o que deve ser feito ou evitado com vista ao estado ou fim melhor que convém à hu-

manidade atingir na outra vida. Contém um preceito coativo a ser infligido àqueles que a transgridem neste mundo, sob a forma de uma pena ou castigo a ser aplicado na outra vida, não nesta.

Tal lei é aceita como um preceito imediato de Deus, promulgado sem a participação humana, apesar de ser divina, todavia, foi estabelecida pelos homens, isto é, os Apóstolos e os Evangelistas. No entanto, isso não aconteceu por obra e decisão dos mesmos, como se fossem a sua causa eficiente imediata. Na verdade, foram os instrumentos de Deus ou de Cristo, enquanto é por excelência a causa eficiente que os conduziu com vista a atingir tal fim.

É por isso que lemos no capítulo 4º da Epístola de Tiago o seguinte: "Só há um legislador e juiz. Aquele que pode salvar e destruir" (v. 12). E na segunda Epístola de Pedro está escrito o seguinte: "A profecia jamais veio por vontade humana, mas os homens inspirados pelo Espírito Santo falaram da parte de Deus" (1,21).

3 – De fato, o significado correto e adequado de semelhante definição se acha claramente exposto e explicado na primeira parte do *Defensor da paz*, capítulo 10, e na segunda, capítulos 4, 5, 8 e 9.

4 – Por outro lado, a lei humana é um preceito estatuído pelo conjunto dos cidadãos ou por sua parte mais relevante. Eles devem legislar por deliberação imediata sobre os atos humanos voluntários que cada pessoa deve realizar ou se esforçar por fazê-los neste mundo para atingir o melhor fim, isto é, o estado que convém a cada ser humano atingir durante a vida presente. Afirmo que se trata de um preceito coativo quanto às suas transgressões neste mundo, implicando numa pena ou castigo a

ser atribuído àqueles que o transgridem, de acordo com o que demonstramos no capítulo 10 da primeira parte do *Defensor da paz*.

5 – Enunciar o direito ou a lei, na medida em que atenda o presente objetivo, encerra quatro significados: 1 – a descoberta da regra ou razão de ser dos atos civis. 2 – Dizê-lo ou expô-lo a outrem. 3 – Promulgá-la juntando-lhe um preceito coativo, conforme se declarou acima, aplicável a todos aqueles que devem estar totalmente subordinados ou submissos à mesma. 4 – Convém enunciá-la através de um preceito coativo, por meio de uma promulgação particular contra um transgressor individual.

Enunciar a lei conforme o primeiro significado compete aos sábios que a elaboram. Conforme o segundo, cabe aos doutores ou àqueles que possuem a competência para ensinar. No 3º e 4º significados, compete ao próprio legislador que detém ampla e simplesmente a autoridade primeira e pessoal para castigar quem vier a transgredi-la. Mas, segundo o 4º significado, tal ato deve ser da competência do juiz ou príncipe, graças à autoridade do referido legislador, que possui o poder de castigar os seus transgressores, não de modo absoluto e graças a uma capacidade particular, mas através de uma delegação que lhe foi conferida por outrem e que, de acordo com as circunstâncias, pode vir a ser revogada.

6 – Agora inferiremos dessas premissas básicas algumas conclusões. *Primeira*: nenhum homem individual ou coletivamente considerado, sejam eles clérigo ou leigo, enquanto humanos nunca puderam nem poderão enunciar a Lei Divina conforme o 1º, 3º ou 4º significados, acima vistos. Temos certeza absoluta disso através das conclusões que anun-

ciamos nos capítulos 4, 5 e 9 da segunda parte do *Defensor da paz*, baseados nas autoridades de Tiago e Pedro acima transcritas.

Igualmente disso decorre, de modo necessário, que nenhuma pessoa, não importa sua condição ou estado eminente, detém a autoridade ou o poder para dispensar, mudar, fazer acréscimos ou diminuir algo incluso nos preceitos da Lei Divina ou no que se lhes refere, sejam eles afirmativos ou negativos, contrários ou contraditórios ao sentido das palavras da Escritura que já foram escritas anteriormente.

Segue-se também, necessariamente, que, se todos os votos ou alguns dentre eles devem ser cumpridos sempre por força de um preceito da Lei Divina, e ainda se se proíbe graças à referida Lei a certas pessoas aparentadas virem a se casar, nenhum bispo ou sacerdote, tampouco aquele chamado papa de Roma, pode conceder uma dispensa que lhe seja contrária ou contraditória.

7 – A *segunda* conclusão é a seguinte: enunciar a lei humana de acordo com o seu próprio significado, quer dizer, segundo a acepção vista acima, de conformidade com a 3ª e 4ª denotações, que não compete a nenhum bispo, sacerdote, diácono ou ministro da Igreja, não importa o nome que se lhe atribua, individualmente ou à sua corporação, quer sejam considerados em conjunto ou separadamente. Pode-se e deve-se ter certeza acerca desse assunto, através do que escrevemos nos capítulos 12 e 13 da primeira parte e nos capítulos 4, 5, 8 e 9 da segunda parte do *Defensor da paz*.

Daí seguir necessariamente que nenhum dos ministros eclesiásticos acima referidos, conforme dissemos atrás, possui a autoridade para ampliar ou dispensar algo que contrarie os preceitos ou as proibições da lei humana, de forma que tais ações só podem ser efetuadas pelo Príncipe romano, porque competem à sua autoridade, enquanto legislador.

Inquestionavelmente disso mesmo sucede que nenhuma decretal ou estatuto do Pontífice romano, ou de qualquer outro sacerdote ou diácono, ou dos supraditos ministros da Igreja individualmente ou de sua corporação, estatuído ou ordenado por sua própria autoridade, sem ter sido ratificado por uma outra determinada pessoa, não pode ser considerado como lei, de acordo com a acepção primeira e própria atribuída a essa palavra, pois a mesma não é nem divina nem humana, de acordo com o que foi escrito mais acima, baseando-se nos mencionados capítulos do *Defensor da paz*, de modo que ninguém deve ou pode ser ameaçado com alguma pena ou castigo real ou pessoal, na hipótese de vir a desobedecer tal estatuto.

Segue-se também, de modo necessário, que nem o Bispo de Roma, nem qualquer outro ministro eclesiástico, antes mencionado, possuíram ou detêm a jurisdição coercitiva neste mundo sobre pessoa alguma, clérigo ou leigo, até mesmo sobre um herege, a menos que tal jurisdição lhes tenha sido concedida pelo legislador humano, o qual poderá da mesma forma lhes revogar essa concessão sempre que lhe parecer conveniente. O que escrevemos antes e no capítulo 10 da segunda parte do *Defensor da paz* fundamenta e corrobora seguramente o que acabamos de afirmar.

Por conseguinte, decorre igualmente que nem o bem-aventurado Pedro nem qualquer outro

Apóstolo possuíram tal jurisdição coerciva sobre os demais ou ainda sobre os outros ministros da Igreja citados mais acima. Disso resulta necessariamente que tanto o Bispo de Roma quanto os demais citados ministros eclesiásticos estão subordinados real e pessoalmente à jurisdição dos juízes e governantes atuando por força da autoridade do legislador humano. Pode-se ter uma certeza a respeito de tais asserções, consultando os capítulos 15 e 17 da primeira parte e 4, 5, 7 e 9 da segunda parte do *Defensor da paz*.

II

1 – No entanto, alguém poderá objetar: os bispos ou sacerdotes ou somente sua corporação podem estatuir uma lei coerciva e punir seus transgressores neste mundo, enquanto juízes da citada lei. Com efeito, o que é útil e proveitoso aos bons costumes, à busca da felicidade no outro mundo e à fuga do castigo eterno parece competir ao poder ou ao encargo dos sacerdotes e somente à sua corporação, tendo em vista que tudo isso parece estar no âmbito das coisas espirituais.

2 – Isto acontece graças aos preceitos coercivos promulgados pelos sacerdotes neste mundo. De fato, eles induzem os homens a praticar o bem e os afastam do mal, o que lhes permite conseguir a felicidade eterna e evitar a danação.

3 – Respondemos afirmando que tais aspectos estão amplamente estatuídos e ordenados pelas leis divina e humana coercivas, quer para a vida presente, quer para a futura. Daí, tudo que os sacerdotes, ou exclusivamente sua corporação, estabelecerem quanto a esses assuntos será totalmente inútil. É

por isso também que se deve simplesmente negar a premissa menor relativa ao que foi dito, pois tal seria desnecessário e sem finalidade e só geraria inconvenientes.

4 – O primeiro inconveniente é o seguinte: tal lei emanaria de um legislador incompetente, pois ela não seria nem divina nem humana. Demonstramos que ela não seria humana nos capítulos 12 e 13 da primeira parte do *Defensor do Paz*. Comprova-se que não seria divina, através do 4º capítulo da Epístola de Tiago e do 1º capítulo da 2ª Epístola de Pedro, como é sabido muito bem por todos os fiéis cristãos.

5 – Disso resultaria um outro inconveniente: assim sendo, haveria muitos legisladores e governantes detentores do poder coercivo sobre um mesmo povo e eles não estariam subordinados hierarquicamente uns aos outros, aqui neste mundo. Tal situação é insuportável por qualquer comunidade política.

Aliás, isso tem sido, e até agora ainda é, a causa da dissensão contínua que reina entre os fiéis cristãos e continuará a sê-lo, a menos que tal poder e autoridade usurpados venham a ser tirados totalmente da mão dos clérigos.

Demonstramos claramente no capítulo 17 da primeira parte do *Defensor da paz* que tal situação é intolerável e impossível de ser suportada pela comunidade política e pela sociedade civil, apresentando uma série de inconvenientes que resultam da mesma.

Há ainda uma terceira desvantagem que se originaria daquelas premissas iniciais. Se os sacerdotes tivessem igual direito de estatuir uma lei coerciva e, de acordo com ela, proferir um julgamento neste mundo sobre todos os atos civis feitos pelos homens, considerando-se que todos os atos que a lei humana proíbe ou ordena no que concerne aos costumes são bons ou maus, e por esse motivo os legisladores humanos definem a lei da seguinte forma: ela é uma sanção sagrada prescrevendo o justo e o honesto e proibindo o desonesto, disso resultaria também que os sacerdotes seriam legisladores humanos e que as leis dos cidadãos e dos príncipes seriam supérfluas. Demonstramos justamente o contrário nos capítulos 11, 12, 13 da primeira parte do *Defensor da paz*, o que também é confirmado pela Sagrada Escritura, conforme expusemos nos capítulos 4, 5, 8 e 9 da segunda parte da mesma obra.

6 – Mas alguém poderá contradizer isso alegando que, embora tal poder não seja efetivamente da competência regular do ofício sacerdotal, na hipótese de os príncipes serem negligentes em relação a tais assuntos ou ainda agirem de modo incorreto, falhando em sua missão, os sacerdotes poderão fazê-lo.

Redarguiremos alegando que esse discurso retórico é contrário à Escritura e à razão. De fato, o Apóstolo, na 2ª Epístola a Timóteo, capítulo 2, diz o seguinte: "Ninguém, engajando-se no exército de Deus, se deixa envolver pelas questões da vida civil" (v. 4), quer dizer, litigiosas ou civis. Na 1ª Carta aos Coríntios, capítulo 6, ele declara: "Quando, pois, tiverdes litígios contra outrem para serem julgados por vós, escolhei como juízes aqueles que são os mais humildes no interior da Igreja" (v. 4). E o Apóstolo entende por litígios e processos as ações que se referem aos atos humanos e principalmente aspectos dúbios concernentes à Lei Divina.

Daí, o próprio Paulo, na 1ª Epístola aos Coríntios, capítulo 3, afirma o seguinte: "Com efeito, se há entre vós ciúmes e contendas, não sois carnais?", isso quer dizer, não estais brigando como faz o mundo, "não vos comportais à semelhança dos homens?" (v. 3). E ele ainda expõe categoricamente na 2ª Carta aos Coríntios, capítulo 1º: "Não tencionamos dominar vossa fé" (v. 24). E ainda alude expressamente acerca do que são assuntos espirituais. Quem pois desejar encontrar mais alguma coisa a respeito dessas palavras de Paulo, reforçadas ainda pelos comentários das autoridades de Ambrósio e de Crisóstomo, poderá consultar os capítulos 4, 5 e 7 da segunda parte do *Defensor da Paz*.

7 - É tal discurso contrário também á razão, porque a autoridade e o poder para castigar os príncipes maus e negligentes, infligindo-lhes uma pena real e pessoal, compete com exclusividade ao legislador humano, conforme provamos nos capítulos 15 e 18 da primeira parte do *Defensor da paz*.

Declaro ainda que, se o julgamento e castigo aos príncipes competisse a uma outra parte ou encargo da cidade, absolutamente seria da alçada dos sacerdotes, mas caberia aos homens prudentes ou instruídos, e até mesmo aos ferreiros, ou aos curtidores ou aos demais artífices, pois tanto a razão como a lei e ainda a Sagrada Escritura, através de um conselho ou preceito, não lhes proíbe se envolver com questões e atividades civis ou seculares. Todavia, conforme indicamos mais acima, de acordo com as palavras do Apóstolo, há uma restrição sobre isso, concernente aos bispos e sacerdotes. No entanto, afirmo que tais misteres poderão ser da competência do ofício sacerdotal segundo as palavras do próprio Paulo, "por meio da exortação, da prece, da argumentação e da increpação, com toda paciência e doutrina" (transliteração da passagem da 2ª Epístola a Timóteo

4,2), jamais utilizando a força. Por isso, Ambrósio, no livro sobre a *Cessão das Basílicas*, diz o seguinte ao imperador Constantino: "Eu poderei me afligir, gemer, chorar diante dos soldados e dos Godos e minhas lágrimas serão minhas armas. Tais devem ser efetivamente as munições dos sacerdotes, pois eu não posso resistir e proceder de outra forma" (*Sermo contra Auxentium*, cap. 2, PL 16, 1050).

III

1 – Aquela pessoa que indaga se, na hipótese de toda a multidão dos fiéis ou sua parte mais relevante ou os príncipes quiserem se afastar da fé cristã e se efetivamente vierem a fazê-lo, os sacerdotes ou sua corporação poderiam ou deveriam obrigá-los a voltar atrás, respondemos que não, segundo é notório, face à advertência do Cristo, no Evangelho de Mateus, capítulo 10, onde Ele diz o seguinte: "Quando vos perseguirem numa cidade, fugi para outra" (Mt 10,23). É por esse motivo que Jesus desejou que os Apóstolos e seus sucessores, os bispos ou presbíteros, não só não coagissem as pessoas, mas também defendessem seus corpos. O Apóstolo também quis a mesma coisa, segundo aprendemos de suas palavras: "Não tencionamos dominar a vossa fé" (2Cor 1,24).

Entretanto algumas pessoas insistem sobre tal assunto, citando as palavras de Paulo, encontradas na 2ª Epístola aos Coríntios, capítulo 1: "Foi para vos poupar que não voltei a Corinto" (v. 23), e na 1ª Carta àquela comunidade cristã, capítulo 4: "O que preferis? Que eu vos visite com a vara ou com o amor e em espírito de mansidão?" (v. 21). E mais detalhadamente, na segunda missiva aos Coríntios, capítulo 10: "Estamos prontos a castigar os desobedientes, desde que seja perfeita a vossa obediência" (v. 6).

2 – Responde-se a esta e a outras objeções semelhantes dizendo que tais correções são verbais e não coercivas, quer dizer, os bispos ou presbíteros devem chamar a atenção ou repreender os delinquentes. É por tal razão que o Apóstolo, na passagem acima citada, "para os poupar", acrescenta: "Não porque tencionamos dominar vossa fé" etc. Daí o comentário de Ambrósio: "E para que os Coríntios não se indignassem, como se fosse uma dominação, o Apóstolo acrescenta: – não para dominar a vossa fé – quer dizer, não que a vossa fé seja suportada pela dominação ou coerção, porque ela é fruto da vossa vontade, não da necessidade, com efeito vós permaneceis na fé, que atua pelo amor, não através da dominação". Citamos esses textos mais amplamente nos capítulos 5 e 9 da segunda parte do *Defensor da paz*. Ainda na Epístola aos Coríntios Paulo escreve: "As armas com que combatemos não são carnais" (2Cor 10,4), mas são espirituais, isto é, verbais. Ao contrário, as armas, graças às quais os homens são coagidos a fazer algo, são carnais, quer dizer, materiais ou corporais.

3 – Quanto a punir os hereges por meio de um castigo real ou pessoal, desligando-os da comunidade humana, tal procedimento de acordo com a Sagrada Escritura é um preceito ou apenas um conselho. No tocante a quem possui a autoridade para executar essa medida, tratamos detalhadamente dessa questão no capítulo 10 da segunda parte do *Defensor da paz*.

4 – Falaremos com propriedade que este poder não compete aos sacerdotes ou apenas à sua corporação, quando tratarmos da terceira conclusão

relativa ao interdito e à excomunhão, consequência natural daquelas premissas básicas.

De fato nenhum bispo, sacerdote ou qualquer ministro eclesiástico, não importa o nome que se lhe dê, individual ou coletivamente, graças às palavras do Novo Testamento, não pode igualmente reivindicar para si qualquer bem, móvel ou imóvel, que lhe tenha sido concedido pelos fiéis, em parte ou totalmente, e que lhe seja devido, exceto uma roupa e uma quantia de alimento suficiente para o seu sustento, e não pode inclusive reivindicar, principalmente, um direito de propriedade sobre tais bens.

Segundo lemos no capítulo 20 do Evangelho de João, Cristo, na verdade, falou o seguinte: "Como o Pai me enviou também eu vos envio" (v. 21). Tais palavras dizem respeito à humildade requerida para exercer o ministério sacerdotal. Ele também tinha em mente ensinar os seus sucessores quanto à maneira de agir e viver, quando declarou o seguinte no 28º e último capítulo do Evangelho de Mateus: "Eu estarei convosco até a consumação dos séculos" (v. 20). Tais palavras não correspondem perfeitamente ao pensamento de Jesus se elas se referissem apenas aos Apóstolos, sem incluir os sucessores deles.

Ora, nem Cristo nem seus Apóstolos não atribuíam a si próprios um determinado bem material e tampouco reivindicaram um direito de domínio sobre os bens materiais, pelo contrário, no tocante aos mesmos disseram expressamente que os fiéis teriam a obrigação de lhes proporcionar somente o vestuário e a alimentação. Daí Cristo afirmar o seguinte no capítulo 10 do Evangelho de Mateus: "O operário é digno do seu sustento" (v. 10) e o Apóstolo na 1ª Epístola a Timóteo, capítulo 6, declara: "Se, pois, temos alimento e vestuário contentemo-nos com isso" (v. 8). Ele diz ainda a mesmíssima coisa na 1ª Carta aos Coríntios, capítulo 9, e na Carta aos Romanos, capítulo 15. Omito a citação para abreviar.

5 – Cristo efetivamente renunciou a todos os outros bens materiais, tanto em particular quanto em comum, por considerá-los supérfluos e aconselhou ou prescreveu aos seus Apóstolos fazerem a mesma coisa quando disse: "As raposas têm tocas e as aves do céu ninhos, mas o Filho do Homem não tem onde repousar a sua cabeça", conforme se lê nos capítulos 8 de Mateus e 9 do Evangelho de Lucas (respectivamente versículos 20 e 58).

Ele, dirigindo-se aos Apóstolos e, na pessoa deles, aos seus sucessores, conforme podemos constatar no capítulo 14 do Evangelho de Lucas, diz o seguinte: "Portanto, qualquer um de vós que igualmente não renunciar a tudo que possui, não pode ser meu discípulo" (v. 33) e como algo não possível equivale a uma coisa impossível, alguns doutores em Teologia querem dizer que Cristo proibiu aos Apóstolos e aos seus sucessores exercerem o direito de propriedade sobre os bens materiais, não apenas através de um conselho, mas por meio de um preceito.

A respeito dessa questão e de outros aspectos relativos à Pobreza de Cristo e dos Apóstolos tratamos pormenorizadamente nos capítulos 12, 13 e 14 da segunda parte do *Defensor da paz*.

Disso resulta necessariamente que os bispos ou sacerdotes ou ainda qualquer outro ministro eclesiástico, sucessores de Cristo ou dos Apóstolos, não podem se atribuir o direito de reivindicar dízimos ou uma outra porção determinada de bens materiais, móveis ou imóveis.

Por essa razão, diz o Apóstolo na 2ª Carta aos Coríntios, capítulo 9, ao pedir-lhes uma esmola ou contribuição para os cristãos que viviam em Jerusalém, aos quais chamava de os pobres santos, porque tinham vendido suas terras e casas e puseram a quantia obtida, com aquelas vendas, aos pés dos Apóstolos para que eles as distribuíssem entre os membros da comunidade, de acordo com o narrado no capítulo 4 dos Atos: "Cada um dê conforme dispôs o seu coração, sem pena" (respectivamente v. 7 e At 4,34-35), isto é, sem coerção. Daí o Apóstolo ainda acrescentar: "Não digo isto para vos impor uma ordem" e nem teria proferido as palavras: "conforme dispôs o seu coração". Ora, se pela Lei Divina estivessem obrigados a pagar dízimo, não lhes tinha pedido para fazê-lo.

6 – Além disso, se Cristo tivesse reservado dízimos para si e para os Apóstolos, alegando o direito de propriedade sobre os mesmos que lhe era devido pelos fiéis, não só estaria provendo as necessidades imediatas, mas também, com abundância, as do futuro e, por conseguinte, Ele não teria sido absolutamente pobre, nem teria observado, juntamente com seus Apóstolos, a suprema pobreza. É justamente o contrário disso que se pode constatar, de modo evidente, lendo a Escritura Sagrada. Discorremos longamente sobre esse assunto nos capítulos 12, 13 e 14 da 2ª parte do *Defensor da paz*.

7 – Disto pode-se concluir também que, embora, desde os tempos mais remotos, tais dízimos tenham sido concedidos tanto a alguns leigos quanto a alguns clérigos, através de documentos ou outros escritos sancionados pelos príncipes romanos, e possuídos de boa-fé, sem qualquer restrição

da Igreja ou do poder civil, a concessão de tais dízimos, quanto ao imposto, ao censo e à outra disposição, compete à autoridade dos príncipes romanos autorizar, porque a mesma lhes foi confiada e transmitida pelo supremo legislador humano.

8 – Não obsta que na Antiga Lei os dízimos e as primícias estivessem prescritos, porque as disposições legais ou cerimoniais da lei mosaica não devem ser observadas pelos cristãos, tendo-se em mente o que diz o Apóstolo Paulo: "nós fomos libertados da Lei, de modo que podemos servir na renovação do espírito" e "como o sacerdócio foi transferido, forçoso é que se faça também mudança da Lei" (respectivamente Rm 7,6; Hb 7,12). Ademais, aqueles dízimos, de acordo com a Antiga Lei, não eram devidos exclusivamente aos sacerdotes, mas também a todos os leigos ou seculares que pertenciam à tribo de Levi.

IV

1 – A quarta conclusão principal (decorrente das premissas apresentadas no primeiro capítulo) é a seguinte: enunciar o direito ou a Lei Divina conforme a segunda acepção desse termo é da competência dos bispos ou sacerdotes, pois lemos no Evangelho de João, capítulo 20, que Cristo concedeu tal poder aos Apóstolos, quando falou o seguinte: "Como o Pai me enviou, assim também eu vos envio" (v. 21) e igualmente no 28º e último capítulo do Evangelho de Mateus: "Ide, portanto, e ensinai a todas as nações, batizando-as em nome do Pai" etc. "e ensinai-as a fazer tudo o que vos ordenei" (v. 19).

Lê-se, também, que, juntamente com a mencionada autoridade para enunciar o direito ou a

Lei Divina e ensiná-la. Cristo confiou alguns outros poderes aos Apóstolos, os quais são capazes de produzir certos efeitos, tais como o de batizar, conforme se constata lendo o citado capítulo de Mateus, e aquele outro, pelo qual se transforma o Pão em seu Corpo, isto é, o Sacramento da Eucaristia, segundo podemos ler nos capítulos 26 e 22 dos Evangelhos de Mateus e Lucas, quando Jesus disse: "Este é o meu corpo que é dado por vós. Fazei isto em minha memória" (respectivamente versículos 26 e 19).

2 – Além disso, Ele confiou-lhes o poder de instituir sucessores para substituí-los no ministério sacerdotal e ainda o de estabelecerem outros ministros, os diáconos. Com relação a isto o Apóstolo diz o seguinte na 1ª Epístola a Timóteo, capítulo 4: "Não descuides do dom da graça que há em ti, que te foi conferido mediante profecia, através da imposição das mãos do presbítero" (v. 14) e ainda na Carta a Tito, capítulo 1, declara: "Eu te deixei em Creta para cuidares da organização e ao mesmo tempo para que constituas presbíteros em cada cidade" (v. 5). Nos Atos encontramos esta passagem, no capítulo 4(6): "Eles (os diáconos) foram apresentados aos Apóstolos, e estes, orando, lhes impuseram as mãos" (v. 6).

Conforme podemos ler, Cristo confiou aos Apóstolos o poder de condenar e absolver os homens dos seus pecados cometidos neste mundo, a fim de poderem alcançar a beatitude na vida futura ou escaparem da condenação eterna.

Cristo concedeu-lhes ainda outros poderes, de acordo com a Lei Divina, sobre os quais falaremos oportunamente, não sendo esta a ocasião mais adequada.

3 – Nenhum desses poderes ou dons é coercivo. Todos se referem à economia da

salvação e são especulativos ou práticos, da mesma forma que a autoridade que um médico exerce sobre seus pacientes quanto a orientar e tratar das pessoas que se acham doentes ou sãs. Pode-se encontrar uma semelhança evidente entre ambos os poderes nos capítulos 6, 7 e 9 da 2ª parte do *Defensor da paz* e podemos constatar que tal comparação é verdadeira lendo os capítulos 4 e 5 da citada parte da obra.

Considerando-se que esse poder é chamado poder espiritual, não podemos por tal razão concebê-lo como uma autoridade ou jurisdição coerciva, apta a infligir neste mundo a qualquer pessoa um castigo real e pessoal. Já nos referimos antes a respeito da natureza desse poder para agir, ensinando, exortando e argumentando, citando como exemplos o poder do médico ou do intendente.

No entanto, interessa agora tratar do mais importante de todos, deixando de lado os outros poderes acima referidos. Trata-se daquele relativo à condenação ou absolvição dos homens por causa dos pecados que cometeram. Essa é a faculdade comumente denominada pelos santos e os doutores da Escritura Sagrada como sendo o poder das chaves.

Tratamos amplamente a respeito de sua natureza, de sua espécie e em que medida foi conferido aos bispos ou sacerdotes, nos capítulos 6 e 7 da 2ª parte do *Defensor da paz*, sempre em concordância com os ensinamentos do Mestre das Sentenças, dos santos e de outros doutores citados na referida obra.

Resumindo, o citado Mestre conclui seus ensinamentos dizendo que o poder que os sacerdotes possuem, isto é, ligar e desligar, absolver ou reter os pecados, não é outra coisa senão mostrar à Igreja que os pecados absolvidos ou retidos foram igualmente absolvidos ou retidos por Deus no que respeita à vida futura, pois os delinquentes deverão alcançar a beatitude ou estarão sujeitos à condenação eterna. Daí Pedro Lombardo afirmar: "Os sacerdotes, médicos das almas, não retêm, nem absolvem os pecados, mas dão um prognóstico. De fato, só Deus, por si mesmo, é quem absolve ou retém as faltas cometidas". E ele acrescenta que há também um outro meio de os sacerdotes ligarem ou desligarem neste mundo os pecadores, infligindo-lhes um castigo ou uma satisfação qualquer por causa de seus pecados, aqui na terra, a fim de evitar, total ou parcialmente, uma punição na vida futura.

É por esse motivo que o citado Mestre, apoiando-se nos escritos de um certo papa Leão, acrescenta o seguinte: "os sacerdotes fazem uma obra de justiça em relação aos pecadores ligando-os de modo adequado pela satisfação ou penitência, mas quando diminuem parcialmente aquele castigo ou o dispensam, fazem uma obra de misericórdia" (*Comentário às Sentenças*, IV, dis. 18, cap. 9: De Remissione Sacerdotis, PL CXCII, 885-889; ibid., dis. 18, cap. 7, 888).

V

1 – Algumas pessoas inferem determinadas conclusões deste poder sacerdotal que comumente é denominado poder das chaves. A 1ª delas é a seguinte: cada pessoa deve necessariamente, com vista a alcançar a salvação eterna, confessar todos os seus pecados, tanto os ocultos quanto os evidentes, ao sacerdote, pecados esses cometidos contra os preceitos da Lei Divina. Costuma-se normalmente denominá-los pecados mortais, porque contribuem ou concorrem para a condenação eterna.

2 – A 2ª conclusão inferida por algumas pessoas é a seguinte: o sacerdote pode, graças ao citado poder, infligir um castigo ou uma satisfação pessoal ou real ao pecador neste mundo, em razão das faltas cometidas. O delinquente as comuta segundo suas forças, caso contrário não será absolvido de seus pecados, de forma que isso é necessário à sua salvação.

3 – Por isso, dilatando ainda aquele poder, essas pessoas inferem a terceira conclusão que é a seguinte: os bispos ou presbíteros, especialmente o Bispo de Roma, podem conceder indulgências quanto a minimizar os castigos no outro mundo, em certas épocas do ano, em determinados meses ou dias e, inclusive, para todo o sempre. Eles afirmam que podem concedê-las a cada fim de centúria àqueles indivíduos que lhes oferecem certos donativos ou outros bens temporais, ou ainda aos peregrinos que por devoção se dirigem a determinados lugares para visitar as basílicas ou os túmulos dos santos, e igualmente àqueles que se dirigem ou se fazem transportar às terras dos infiéis para lutar contra eles.

4 – Aquelas pessoas tiram do citado poder das chaves e da plenitude do mesmo, devido especialmente ao Bispo de Roma, uma quarta conclusão: ele e os demais bispos e sacerdotes, a quem o próprio Bispo de Roma quiser conceder ou confiar a seguinte faculdade, podem desobrigar qualquer cristão de uma promessa ou da profissão religiosa assumida, a tal ponto que o mesmo não mais terá o dever de cumpri-la.

5 – Além disso, as referidas pessoas deduzem uma 5ª conclusão do supracitado poder das chaves: os bispos ou presbíteros, isoladamente ou apenas o colégio episcopal, podem excomungar qual-

quer cristão por causa dos pecados que tiver cometido e igualmente privar, não só o excomungado mas aqueles que se relacionarem com ele, dos sufrágios divinos concedidos através das preces feitas a Deus na igreja.

Os sacerdotes afirmam ainda que podem privar quem os desobedece não só desses sufrágios, mas também de outras coisas, e de fato, quando têm condições de fazê-lo, não se limitam às palavras. Assim, privam os pecadores do relacionamento civil, recusam às comunidades civis que lhes desobedecem a celebração dos ofícios divinos e a ministração dos sacramentos, chamando tais atos de interditos eclesiásticos.

Os sacerdotes, por força desses e de outros poderes espirituais detidos e exercidos pelo Bispo de Roma, dizem que o mesmo, enquanto sucessor de São Pedro, detém a plenitude do poder sobre os demais cristãos. Os recentes bispos de Roma, com seus clérigos denominados cardeais, ensinaram ainda que tal plenitude do poder que possuem confere-lhes também um domínio sobre todos os principados, inclusive sobre todos os bens temporais e atos civis.

6 – Portanto, a primeira das conclusões que certas pessoas tiram do citado poder das chaves imputado aos sacerdotes é que todo cristão, tendo em vista a necessidade da salvação eterna, tem o dever de confessar os pecados mortais que tiver cometido a um sacerdote. Tais pessoas fundamentam essa conclusão, citando uma passagem da Epístola de Tiago, onde está escrito: “Confessai, pois, uns aos outros os vossos pecados” (5,16). Reforçam tal ponto de vista apoiando-se ainda na autoridade de Agostinho, e na de outros santos e doutores,

que o Mestre cita no 4º Livro das Sentenças, distinção 17, capítulo 4. Omito-as aqui no propósito de resumir e porque, se alguém desejar lê-las, poderá encontrá-las no citado texto.

7 – Aquelas pessoas se empenham em provar tal conclusão utilizando um argumento absurdo ou impossível, quer dizer, impossível conforme a Escritura, porque, se a confissão dos pecados não fosse necessária, a autoridade ou o poder das chaves teria sido confiado inutilmente aos Apóstolos e aos seus sucessores, tese essa que se deve recusar, porque se trata de uma heresia.

8 – Afirmamos, de acordo com o que diz a Escritura, que não se pode comprovar absolutamente que se deve confessar os pecados aos sacerdotes, porque tal ação é necessária à salvação eterna. Certamente, a confissão é útil e proveitosa enquanto um conselho da Escritura Sagrada, não como um preceito. É suficiente confessar os próprios pecados somente a Deus, isto é, reconhecê-los e nos arrependermos de tê-los cometido, com o propósito de não fazê-los novamente. Na verdade, assim falou e procedeu o salmista: "Senhor, eu vos confessarei de todo o meu coração" (Sl 9,2; 111,1) e noutro salmo também está escrito: "Confessai ao Senhor porque é bom" (Sl 106,1). Ademais, conforme o capítulo 11 do Evangelho de Mateus, assim lemos que Jesus Cristo agiu e falou: "Eu vos confesso, Senhor, Pai do céu e da terra" (v. 25), e igualmente em todos os numerosos textos sobre essa questão que se encontram na Escritura, desejando-se examiná-los.

Portanto, de acordo com o que alegam aquelas pessoas, a frase do último capítulo da Epístola de Tiago não é uma objeção. Na verdade, ele não disse: confessai-vos a um sacerdote. Tiago afirmou: "Confessai os vossos pecados uns aos outros", dirigindo-se aos cristãos indistintamente, e esta frase é um conselho, não um preceito. Daí uma determinada glosa acerca desta passagem dizer o seguinte: "Confessai, portanto, vossos pecados uns aos outros para evitar o orgulho".

9 – Quanto às autoridades, Santo Agostinho e os outros santos doutores que o Mestre das Sentenças aduziu acima, deve-se contra-argumentar dizendo que os mesmos pensavam que tal confissão dos pecados era um conselho, não um preceito existente na Sagrada Escritura. E nossa asserção é confirmada expressamente pelas palavras de São João Crisóstomo, segundo encontramos na referida passagem do livro do Mestre das Sentenças. Abstenho-me de citá-la aqui, para não me alongar mais.

10 – E apesar de Agostinho e os referidos santos e doutores terem pensado que a mencionada confissão dos pecados era um preceito da Lei Divina e que ninguém poderia obter a salvação eterna sem fazê-la, eu não concordo com tais opiniões porque não constam no texto da Escritura Sagrada ou Canônica, tampouco podem ser inferidas necessariamente da mesma, e ainda porque São João Crisóstomo, conforme escrevemos acima, disse expressamente o contrário.

11 – Quanto ao argumento que leva ao impossível, de acordo com a Escritura, quer dizer, que as chaves sacerdotais ou a autoridade para absolver ou reter seria inútil se os cristãos não estivessem obrigados a confessar seus pecados aos presbíteros como um ato imprescindível para se obter a salvação eterna, deve-se negar a consequência, pois ainda que jamais tivesse havido tal confissão dos pecados, to-

davia, o poder das chaves, ou de ligar e absolver, é seguramente muito útil aos fiéis com vista a se obter a salvação eterna e para liberar os homens dos vínculos dos pecados cometidos ou dos que vierem a cometer, tanto os ocultos quanto os notórios.

12 - De fato, quando os sacerdotes proclamam e denunciam à Igreja aqueles pecados que certas pessoas cometeram e não se penitenciaram em razão dos mesmos, e ainda se mostram reincidentes persistindo em fazê-los, tais pessoas estão incorrendo na condenação eterna. Por outro lado, os que se arrependem de seus pecados, ou se arrependerem dos que vierem a cometer ou dos que estão propensos a cometer, estão e estarão absolvidos da predita condenação eterna, pois, ao se arrependerem dos pecados cometidos, reconhecem e se entristecem de sua falta perante Deus, e dessa forma são dissuadidos da intenção de tornar a cometê-los de novo, por receio de algum castigo futuro que os sacerdotes possam lhes infligir.

13 - Este é o ofício ou autoridade sacerdotal que denominamos, anteriormente, poder das chaves ou de reter e desligar. E deste modo, sem a necessidade da confissão, os sacerdotes podem de maneira muito útil perdoar ou não os pecadores. Prova-se esta asserção, recorrendo-se a um argumento muito forte haurido na Sagrada Escritura: ora, a confissão ou o propósito de confessar seus pecados a um sacerdote não é necessário para que alguém esteja ligado neste mundo pela culpa e pelo castigo da condenação eterna, portanto, a confissão não é necessária etc., para que alguém venha a ser absolvido da falta e do castigo.

A premissa antecedente é por si mesma notória, a partir do que diz a Escritura, pois qualquer pecador, tendo cometido um crime, está efetivamente ligado pela culpa e por isso merece um castigo, mesmo que o sacerdote, não importa quem seja, desconheça a existência de tal crime. Daí a Escritura afirmar: "Se o teu olho te escandaliza, arranca-o" etc., "porque é melhor que entres com um só olho para a Vida do que ter dois olhos, e seres atirado na geena do fogo" (Mt 18,9). E o Apóstolo na Epístola a Timóteo (Tito) acrescenta o seguinte: "afasta de ti o herege" etc., "ele se condenou a si mesmo" (Tt 3,10-11) por seu próprio julgamento, quer dizer, ele se revelou culpado, e assim a consequência é necessária em muitos outros passos da Escritura Sagrada, porque o poder que foi conferido aos sacerdotes para reter e desligar os homens de seus pecados é uno e idêntico.

Portanto, como sua ação através deste poder não é necessária para reter o pecador e tampouco para absolvê-lo, bastam-lhe unicamente a contrição e o arrependimento sincero do pecado cometido, sem haver necessidade alguma de se confessar a um sacerdote para que seja imediatamente absolvido por Deus. Por isso diz o salmista: "Deus não quer a morte do pecador, mas sua conversão e que ele viva" (Ez 33,11), e ainda: "Ó Deus, tu não desprezarás um coração contrito e humilhado" (Sl 15).

Portanto, não é de outra maneira, como foi dito acima, que os sacerdotes retêm ou absolvem os pecados de alguém. E declaro que não digo nada sobre o que foi referido acima ou será mencionado mais abaixo com obstinação, mas argumento e respondo de modo provável citando as opiniões de outras pessoas, que se um pecador qualquer confessar os seus pecados a um sacerdote e se ele, apesar dos conselhos do presbítero, não desistir de praticá-los, nem tampouco novamente após o mesmo procedimento acrescido do testemunho de uma ou duas pessoas, o padre tem a obrigação e deve tornar públicos, a toda Igreja, os pecados cometidos por semelhante pecador, e se ele da mesma forma não der ouvidos à correção ou repreensão da Igreja, nem se arrepender de seus pecados, então deverá, pelo poder das chaves sacerdotal ou poder de ligar e absolver, vir a ser ligado ou declarado condenado com a pena do castigo eterno. Ao contrário, se o pecador se mostrar arrependido de seus pecados e se penitenciar, deverá ser declarado absolvido do castigo, pelo sacerdote, em razão do mencionado poder, tese essa que também parece estar evidentemente em perfeita consonância com as palavras da Escritura, no capítulo 18 do Evangelho de Mateus, onde se lê a respeito de todos os cristãos, sacerdotes ou não, o seguinte: "Se o teu irmão pecar contra ti, corrige-o a sós contigo. Se ele te ouvir, ganhaste o teu irmão; mas, se ele não te escutar, toma contigo mais uma ou duas pessoas, para que toda a questão seja decidida pela palavra de duas ou três testemunhas. Se ele não te escutar, dize-o à Igreja. E se nem mesmo à Igreja ele ouvir, trata-o como um pagão ou publicano" (v. 15-17). Acrescente-se ainda o que Jesus Cristo falou aos Apóstolos num sentido espiritual: "Em verdade vos digo, tudo o que ligardes sobre a terra será ligado nos céus, e tudo o que desligardes sobre a terra também será desligado nos céus" (v. 18).

Portanto, Cristo falou: "Se teu irmão pecar contra ti" etc. Ora, algumas pessoas interpretam essas palavras num sentido não consoante ao da Escritura, como podemos constatar lendo a seguinte afirmação: "Se teu irmão pecou em relação a ti, quer dizer, contra ti, na verdade ele pecou ou contra ti ou contra o próximo. Se tu sabes disso, deves repreendê-lo, porque nas duas situações o motivo da correção é o mesmo, isto é, que tu recuperes o teu irmão". É por tal motivo que essa passagem é glosada de outra forma por algumas pessoas: "Se teu irmão pecou em relação a ti, quer dizer, tu somente sabes, ou contra o próximo ou contra ti mesmo". Esta exposição está em consonância com a Escritura e é comprovada por ela própria, porque, de um lado, o motivo da correção permanece o mesmo, conforme dissemos acima, e de outra parte, em razão do que segue: "toma contigo mais uma ou duas pessoas, para que toda a questão seja decidida pela palavra de duas ou três testemunhas" (Mt 18,16).

De fato, se o texto da Escritura fosse entendido assim: teu irmão não deve ser repreendido apenas em razão do pecado que cometeu contra ti, então, mesmo que tomasses contigo duas testemunhas, a questão não viria a ser decidida perante a multidão graças ao depoimento de três testemunhas, pois no julgamento perante a Igreja o denunciante não seria tomado como testemunha porque seria suspeito de malevolência.

É por isso que, se o testemunho contra o pecador perante a multidão deve ser apresentado por três pessoas, convém que o mesmo seja dado por ti e por outras duas pessoas que tomaste contigo, acerca de um pecado cometido não contra ti mesmo, mas principalmente contra o teu irmão. A Escritura na verdade diz o seguinte: "Se teu irmão houver pecado contra ti, corrige-o entre ti e ele", para que não seja difamado; "mas, se ele não te escutar, toma contigo uma ou duas testemunhas", para que ele se envergonhe; "entretanto, se ele recusar a vos ouvir, dizei-o à Igreja", para que seja difamado e excluído da mesma. E a glosa acrescenta: "e ninguém será orgulhoso a tal ponto de desprezar semelhante repreensão da coletividade", quer dizer, da opinião pública. O Cristo diz igualmente: "Tudo o que ligares" etc., concedendo aos Apóstolos o poder de declarar condenados tal espécie de pecadores ou de condená-los perante Deus na vida futura, por meio de um castigo eterno, a fim de que os pecadores atemorizados se arrependam dos pecados cometidos e ainda daqueles que vierem a cometer.

Portanto, a frase: "se teu irmão pecou contra ti" etc., Cristo a proferiu somente em relação aos sacerdotes, de modo que eles podem e devem, segundo o conselho ou preceito do Senhor, denunciar perante a Igreja os pecados cometidos, conforme foi dito. Se, ao contrário, Ele disse aquela frase dirigindo-se a todas as pessoas, indistintamente, sacerdotes ou não, tira-se a mesma conclusão da premissa, quer dizer, é lícito aos sacerdotes revelar os pecados que lhes foram confessados por qualquer pessoa, de acordo com a maneira falada anteriormente. Aliás, é o que pensa também o Apóstolo, quando na 1ª Epístola a Timóteo escreveu o seguinte: "Repreende os que pecam, diante de todos, a fim de que os demais temam" (1Tm 5,20).

14 – Mas alguém poderá objetar dizendo: se o poder de ligar e desligar, que os sacerdotes possuem, outra coisa não é senão a capacidade de anunciar perante a Igreja aqueles que estão ou que virão a ser condenados ou absolvidos por Deus, parece também que os leigos, principalmente os versados na

Escritura, podem igualmente ligar ou desligar os delinquentes, pois sabem e podem anunciar à Igreja tais coisas, e além disso aquela frase de Cristo acima citada, referente a isso, segundo afirmam algumas pessoas, parece que foi entendida assim por Agostinho, de acordo com a exposição de seu ponto de vista, numa determinada homilia (AGOSTINHO. Sermão 82, *De Verbis Domini*, PL XXXVIII, 508-511).

15 – Responderemos afirmando: os sacerdotes retêm ou absolvem os indivíduos de seus pecados de um modo, enquanto um irmão faz o mesmo em relação ao seu irmão, por causa de uma ofensa que sofreu, de maneira diferente.

De fato, vemos num julgamento civil que, se alguém cometeu uma injustiça contra uma pessoa, está sujeito a um dúplice castigo: um relativo à parte lesada ou ofendida, o outro em relação à comunidade ou ao juiz. Entretanto, se a vítima quiser, pode perdoar quem a ofendeu ou exigir que o criminoso seja castigado. Todavia, a parte lesada ou ofendida não pode absolutamente eximir o réu que o ofendeu do castigo devido à comunidade ou ao juiz. É preciso notar que acontece a mesma coisa num julgamento espiritual a ser exercido por Deus na outra vida.

Com efeito, o pecador ou aquele que comete uma injustiça, transgredindo a Lei Divina, devido ao mal causado a um irmão, está igualmente obrigado a sofrer um dúplice castigo na outra vida: um relativo ao irmão que foi prejudicado, embora este possa perdoá-lo da ofensa. Aliás, é o que recitamos na oração dominical: "Perdoai as nossas ofensas assim como nós perdoamos a quem nos tem ofendido". Entretanto, o pecador está condenado a um outro castigo, em razão da injustiça perpetrada contra Deus, e desse castigo a pessoa que foi prejudicada não poderá isentá-lo. Só Deus pode fazer isso.

16 – Na verdade, os sacerdotes ligam e desligam de outra forma, isto é, pela autoridade ou poder que lhes foi dado por Cristo, através do caráter ou hábito, chamado normalmente forma ou caráter sacerdotal ou "graça concedida mediante a profecia", conforme as palavras do Apóstolo, na Carta dirigida a Timóteo (1Tm 4,14).

Por tal motivo, ainda que uma pessoa seja perita no conhecimento da Escritura Sagrada e saiba como absolver ou condenar um pecador em razão de seus pecados e, ao fazer isso ou aquilo, ligue-o ou o desligue na vida futura do castigo ou pena da condenação eterna e mesmo que saiba ainda anunciar adequadamente à Igreja, se não possuir o caráter sacerdotal que lhe teria sido concedido primeiramente por Deus e em seguida por seus ministros, com aquela finalidade, não pode e tampouco deve fazê-lo.

Foi por isso que acima escrevemos que era necessário refutar a asserção, segundo a qual os leigos versados na Sagrada Escritura podiam ligar ou desligar os pecadores perante a Igreja, pois ainda que eles soubessem fazê-lo, entretanto, não tinham recebido do Cristo, provisor deste poder, a autoridade para exercer tal ministério. Daí, muito a propósito, o Apóstolo na Carta aos Romanos escrever o seguinte: "E como podem pregar se não foram enviados?" (10,15). As pessoas não devem se imiscuir com o ensinamento dos assuntos de ordem espiritual, com o ministério ou o exercício dos encargos espirituais "se não foram enviadas", quer dizer, se não receberam a autoridade daquele que possui o poder de conferi-la.

17 – Do que foi dito é evidente que a referida objeção não tem força. Pode-se constatar esse fato de modo satisfatório, tendo-se em vista que o médico do corpo, em razão de sua arte, desempenha um papel análogo ao do exercido pelo sacerdote. Assim, Cristo se denominando médico, no capítulo 5 do Evangelho de Lucas, diz o seguinte: "Os sãos não têm necessidade de médico, e sim os doentes" (v. 31).

Embora, efetivamente, alguém possa deter o hábito pelo qual seja capaz de ensinar e opinar a respeito dos sãos e dos doentes e igualmente agir em relação aos mesmos, contudo, se lhe faltar a licença ou o poder de ensinar e de agir por não lhe haver sido conferida pelo legislador humano ou príncipe, não lhe é permitido ensinar e tampouco exercer a medicina em relação aos doentes e sãos. Pior do que isso, ele ao fazer tal coisa estaria transgredindo a lei humana e tornando-se passível de receber um castigo, considerando que a mesma proíbe isso.

18 – No que respeita à referência a Santo Agostinho, acima aludida, deve-se responder que ele explicou a maneira de ligar e desligar, pela qual um irmão pode condenar ou absolver um irmão que lhe tenha causado uma injustiça. Contudo, naquela homilia, o Santo Doutor não glosou na passagem transcrita as palavras de Cristo, contidas na Escritura, já citadas como argumento: "Em verdade vos digo, tudo o que ligares" etc. Com efeito essa frase bíblica deve ser entendida conforme a glosa referida concernente ao poder de ligar e desligar que Cristo conferiu aos Apóstolos.

19 – Mas alguém ainda poderá objetar alegando que todo cristão tem a obrigação de confessar seus pecados a um sacerdote pela necessidade de

alcançar a salvação eterna, dizendo que, se o pecador não fizer tal coisa, será condenado para sempre.

Na verdade, tudo aquilo que a Igreja universal ou um Concílio Geral prescreveu e ordenou fazer, todo cristão, sob pena de vir a ser condenado para a eternidade, tem a obrigação de observar. Ora, está prescrito e estabelecido que todo cristão deve confessar seus pecados a um sacerdote. Logo, todo cristão deve se confessar a um sacerdote.

20 – Nós respondemos o seguinte: tudo o que é prescrito ou estabelecido pela Igreja universal ou pelo Concílio Geral no que tange ao que não foi nem determinado, nem proibido pela Sagrada Escritura, referindo-se apenas ao ritual da Igreja, e tudo o mais que pode se enquadrar no âmbito dos conselhos, não dos preceitos, aplicando-se amplamente aos cristãos, leigos ou clérigos, enquanto vigorar tal preceito do Concílio Geral de todos os fiéis, não importa o seu estado, os quais, por si próprios ou através de seus representantes, deram sua autorização para esse estatuto ou preceito, formulado por ocasião do referido Concílio, deve ser observado por todos os fiéis, em razão da necessidade da salvação eterna. Deve ainda ser observado, enquanto o preceito não for revogado por um outro Concílio Geral, não porque se trata de um preceito imediato da Lei Divina, pois nenhum preceito divino pode ser revogado por ninguém sem exceção, mas os cristãos têm a obrigação de observar tais preceitos e estatutos humanos durante todo o tempo de sua vigência, considerando-se que os mesmos são leis humanas estabelecidas simplesmente para a utilidade comum das criaturas para determinada época, e nenhum cristão, sob pena de vir a pecar mortalmente, poderá agir ou ir

contra as mesmas. É por esse motivo que afirmamos que tais preceitos devem ser observados como necessários à salvação eterna.

21 – Na sexta conclusão relativa à segunda pergunta, falaremos algo a respeito de como os cristãos devem se confessar aos sacerdotes; se a confissão é um preceito ou estatuto, ou se a mesma foi ordenada pelo Concílio Geral de todos os cristãos, do mesmo modo que o referido no parágrafo acima; e por quanto tempo esse preceito ou estatuto não foi revogado pelo citado Concílio Geral.

VI

1 – A segunda conclusão que algumas pessoas tiram do citado poder das chaves é a seguinte: todo sacerdote pode exigir uma satisfação ou infligir um castigo pessoal ou real aos pecadores neste mundo, e eles devem aceitá-la e cumpri-la na medida de suas forças para conseguirem a absolvição de suas faltas.

O Mestre das Sentenças defende a mesma opinião na sua obra, livro IV, distinção 18, capítulo 6º. Ele parece estar de acordo com a tese, segundo a qual os sacerdotes absolvem dessa forma os pecadores perante a Igreja, e condenam aqueles que merecem um castigo, impondo-lhes uma reparação merecida.

Nós dizemos, porém, com a devida referência ao Mestre das Sentenças, e aos que pensam dessa forma, que não se pode comprovar através da Sagrada Escritura que esse poder ou autoridade compete aos sacerdotes, muito menos, por qualquer outro argumento que levaria à mesma conclusão, determinar a qualidade e a quantidade da pena cujos pecados deverá comutar no outro mundo, em razão das faltas cometidas pelo pecador neste mundo, senão talvez graças a uma revelação divina, a qual não somos obrigados a crer e a observar, como necessária à salvação eterna, a menos que assim o desejemos. Assim, considerando que o ponto de vista do Mestre das Sentenças e daquelas pessoas que pensam de modo análogo ao dele não acrescenta nenhuma conclusão necessária a esse postulado, podemos provavelmente recusá-la.

Isso decorre igualmente da primeira asserção: o pecador confessando-se e arrependendo-se verdadeiramente de seus pecados está absolvido da condenação eterna, mesmo que ele não cumpra qualquer satisfação pessoal ou real neste mundo. Contudo, é verdade também que o pecador será mais ou menos severamente castigado no outro mundo, não eternamente, mas apenas durante um certo tempo, se não fizer nenhuma reparação devida às suas faltas. É por esse motivo que fazê-la neste mundo é um conselho, não um preceito.

VII

1 – Algumas pessoas ainda inferem uma terceira conclusão já citada do aludido poder das chaves. Ela é a seguinte: os bispos ou sacerdotes, principalmente o Bispo de Roma, podem conceder indulgências aos pecadores relativas aos castigos a sofrerem no outro mundo em razão das faltas cometidas na terra. Essas indulgências que são concedidas por determinado período de tempo, dias, meses, anos e por vezes até para sempre, são aplicadas por exemplo àquelas pessoas que vão em peregrinação a Roma a cada fim de século.

Todavia, não há como demonstrar por meio da Sagrada Escritura que eles detêm esse poder e tampouco através de uma inferência necessária de seu texto, pelas mesmas razões e causas graças às quais lhes negamos prontamente aquela outra faculdade já referida, de impor uma satisfação aos pecadores pelas suas faltas cometidas neste mundo. Por isso não admitimos que possuam o poder complementar de conceder as mencionadas indulgências.

Mas concedemos que, devido às orações que fazem pelos pecadores. Deus diminui tanto a quantidade quanto a qualidade dos castigos que lhes serão atribuídos no outro mundo como reparação pelas faltas cometidas. Concedemos, ainda, que a satisfação seja estipulada pelos sacerdotes sob a forma de conselho, não de preceito. Mas ninguém está obrigado a acreditar como verdade necessária à salvação eterna que a satisfação deva ser feita desta ou daquela forma e nesta ou naquela proporção, como os sacerdotes afirmam em seus discursos e estatuem nos seus escritos.

2 – Por força desses argumentos e razões não se pode nem se deve inferir que compete ao poder ou à autoridade dos sacerdotes, em conjunto ou individualmente, nem à do Bispo de Roma, indicar ou prescrever um determinado tempo de jejum aos fiéis, proibir-lhes comer certos alimentos, nem ordenar-lhes igualmente a suspensão dos trabalhos manuais ou civis em determinados dias para celebrar as festividades dos santos, e tampouco prescrever-lhes tais coisas, sob ameaça de receberem castigos nesta e na outra vida.

Esta autoridade é da competência do legislador humano, ou do Concílio Geral de todos os fiéis, ou daqueles que os representam no mesmo. Se as Cruzadas ou as peregrinações aos templos consagrados aos santos são meritórias, e se tal ato tem qualquer relação com as indulgências parcial ou total aos castigos a serem infligidos aos pecadores no outro mundo, consideraremos a seguir.

3 – De acordo com o que foi dito mais acima, afirmo que não se pode comprovar pela Escritura Sagrada que um não cristão deve ser compelido a abraçar a fé católica. Demonstramos isso através do texto bíblico e das palavras dos santos nos capítulos 4, 5 e 9 da 2ª parte do *Defensor da paz*.

Disso resulta que, se a Cruzada se realiza ou é organizada para combater infiéis e obrigá-los a abraçar a fé cristã, a mesma não é absolutamente meritória. Mas se tal viagem ultramarina era realizada para obrigar os infiéis a obedecer ao príncipe ou ao povo romano em matéria de preceitos civis e para reivindicar tributos adequados, como estão juridicamente obrigados a pagá-los, semelhante viagem, conforme julgamos, deveria ser considerada meritória, porque visaria restabelecer a paz e a tranquilidade entre todos os homens que vivem em sociedade.

4 – Afirmamos, no que tange às peregrinações feitas pelos pecadores às igrejas dos santos para manifestar-lhes sua devoção ao visitá-las, que as mesmas podem ser meritórias, mas acrescentamos que, se os bens ou o dinheiro que uma pessoa consome nessas peregrinações fossem distribuídos aos pobres, por exemplo às viúvas, aos órfãos, aos débeis, aos enfermos ou aos demais indigentes, às virgens ou, ainda, àqueles que se acham oprimidos sob o peso de uma família numerosa ou pela privação de seus filhos, ou a qualquer outra pessoa pobre, honesta e

necessitada, ou para defender a república, quando a premência se lhe impõe, ou apenas por devoção aos mencionados santos, tal pessoa granjearia muito mais mérito perante Deus e os santos, cujos santuários visita, pois na Escritura não encontramos conselho ou preceito relativo a se fazer peregrinações; mas no tocante às esmolas, às distribuições de víveres ou de dinheiro aos pobres, práticas essas que acabamos de falar, encontramos, quer na Antiga, quer na Nova Lei, um conselho recomendando fazer isso expressamente. Diz o salmista: "Redime teus pecados pela esmola". E Cristo nos capítulos 11 e 12 do Evangelho de Lucas e ainda em inúmeras outras passagens bíblicas diz: "Vai e vende tudo o que tens e dá aos pobres" (12,33). Ademais, a respeito daqueles que podem fazer isso e não o fazem, Cristo os reprova, quando Mateus fala por Ele, no capítulo 25 do seu Evangelho: "Porque tive fome e não me destes de comer, tive sede e não me destes de beber, estive nu e não me vestistes" (v. 42-43), fazendo-lhes todas aquelas censuras em nome dos pobres. Todavia, não se lê em parte alguma da Escritura que Jesus Cristo tenha dito: "fui a Roma ou a Jerusalém e vós não me fostes visitar".

Além disso, tais peregrinações aos lugares distantes, na maior parte das vezes, são empreendidas mais para visitar e conhecer regiões e países estrangeiros e longínquos, do que pela devoção requerida nessas circunstâncias. Numa palavra, o que penso a respeito disso é o seguinte: que os pecadores façam uma penitência pessoal e real por causa dos pecados cometidos neste mundo, ou que empreendam uma cruzada com a intenção de serem úteis à república, ou que realizem peregrinações e outras práticas semelhantes, graças a isso tudo virão a obter uma remissão parcial ou total de suas penas no outro mundo.

Pensamos igualmente que as indulgências ou remissões não podem, absolutamente, ser concedidas pelos bispos ou sacerdotes aos pecadores, porque eles não detêm poder algum para outorgá-las ou revogá-las. Somente Deus é que pode fazê-lo, pois só Ele conhece o sentimento dos pecadores e os corações dos penitentes, dos que oferecem uma satisfação, sua qualidade e quantidade, enfim o mérito e o demérito de cada um.

VIII

1 – Algumas pessoas tiram ainda uma quarta conclusão do mencionado poder das chaves e da plenitude do poder que atribuem ao Bispo de Roma, comumente denominado papa. Este e os outros bispos ou sacerdotes, aos quais Cristo quis confiar ou conceder aquela faculdade, e graças ao poder que se lhes atribui, podem liberar ou desligar qualquer cristão do dever de observar um voto que tenha feito, não importa qual seja, de modo que a pessoa, uma vez liberada de tal compromisso, não mais precisará cumpri-lo.

A fim de examinar mais claramente esta conclusão é necessário indagar em primeiro lugar o que é um voto, depois quem pode fazê-lo ou professá-lo assumindo a obrigação de igualmente observá-lo e, em terceiro lugar, qual é a implicação do voto, e por último a quem e por que a pessoa que fez um voto está sujeita a prestar obediência em razão do mesmo.

2 – Afirmamos a respeito do primeiro item que o voto, segundo a opinião de inúmeras pessoas, é determinada e espontânea promessa feita mental ou verbalmente, relativa a fazer algo ou não, com suficiente conhecimento de causa, visando a atingir um objetivo neste ou no outro mundo.

Quanto ao segundo ponto, achamos que uma pessoa ao fazer um voto deve proferi-lo numa idade em que se presume que saiba usar convenientemente a razão, ou que tenha discernimento das coisas. Conforme pensam alguns homens prudentes, a idade do discernimento é de 15 anos para o sexo masculino e 12 anos para o feminino.

3 – Quanto ao terceiro quesito, não é preciso dissimular que em matéria das ações humanas a serem feitas ou evitadas, suscetíveis de serem objeto de voto, algumas se enquadram como preceito das leis humana ou divina. Outras, na verdade, podem se incluir na categoria do que é permitido, tanto pela lei humana quanto pela divina. Outras ainda fazem parte da categoria de conselhos relativos mais à Lei Divina do que à humana.

Expusemos amplamente em nosso livro *Defensor da paz*, 2ª parte, capítulos 8 e 12, a diferença que há entre os preceitos positivos e negativos que costumamos chamar proibições e, ainda, sobre o que é permitido pelas leis e conselhos. Entretanto, tendo em vista o presente objetivo, resumiremos nossa opinião dizendo que os preceitos ou proibições relativos às leis divina e humana não podem ser objeto de um voto, nem se pode fazê-lo a respeito das mesmas, porque os seres de ambos os sexos, sob pena de uma punição, neste ou no outro mundo ou em ambos, estão obrigados à observância dos referidos preceitos e proibições divinos e humanos, desde que estes não contrariem a Lei Divina.

Com efeito a Lei Divina prescreve a obediência aos príncipes e às leis humanas quando não estejam em contradição com a Lei Divina, conforme demonstramos anteriormente de acordo com o testemunho que Cristo e os Apóstolos nos legaram.

Igualmente não se faz um voto sobre algo permitido pelas leis divina e humana, por exemplo, dar ou não as vestimentas a um bufão, preparar ou não um festim em homenagem a uma pessoa e assim por diante. Em tais casos, a pessoa que faz o voto não está a se privar de qualquer prazer da vida presente, com vista a honrar a Deus ou a um dos espíritos bem-aventurados. Ademais, não se faz tal, porque ninguém está obrigado a fazer aquelas ações, sob pena de vir a ser castigado nesta ou na outra vida.

Quanto às ações permitidas pelas leis divina e humana e ainda com referência àquelas que são propriamente denominadas conselhos, conforme a primeira, temos o costume de fazer votos, com a finalidade de adquirir merecimento ou evitar um castigo, neste ou no outro mundo, cuja observância parece que as pessoas estão sujeitas a cumprir; o que ficará mais claro a partir do que vai ser dito. Por exemplo, se uma pessoa faz um voto a respeito de algo que deve ser feito ou evitado, como ter um filho de sua esposa, repelir um inimigo, obter lucro, livrar-se dos perigos em terra como no mar, recuperar a saúde, escapar da prisão e outras coisas semelhantes, desejáveis ou recusáveis na condição da vida presente.

Da mesma forma podem-se fazer votos denominados apropriadamente conselhos pela Lei Divina, com o intuito, ou de obter uma grande felicidade maior ou menor, ou evitar um enorme mal, maior ou menor, não nesta, mas na outra vida.

Por isso, sintetizando o que foi dito acima quanto ao voto, afirmamos que ele consiste numa promessa humana espontânea, que se enquadra na categoria dos conselhos, não dos preceitos, feita mental ou verbalmente ou de ambas as formas, por uma pessoa de idade conveniente, voto esse relativo a algo que a mesma conhece suficientemente, que ela deseja fazer ou não, por conselho ou permissão, no propósito de conseguir ou evitar algo, neste ou no outro mundo, graças exclusivamente à ajuda recebida pela graça divina ou por intercessão de um espírito bem-aventurado.

Podemos dizer ainda que tal voto pode ser feito por aquela pessoa que se compromete a observá-lo para conseguir ou evitar algo, sob condição ou integralmente, quer dizer, se agradar a uma outra pessoa que tal voto seja ou não cumprido e na medida em que lhe seja proveitoso.

4 – Destas premissas inferimos algumas conclusões. A primeira delas é a seguinte: ninguém deve ou está obrigado a fazer um voto sob pena de receber um castigo neste mundo, pois o que se enquadra somente na categoria de permissão ou de conselho, não do preceito ou de proibição das leis divina ou humana, não determina a ninguém fazê-lo, sob a pena de vir a ser castigado neste ou no outro mundo.

Os votos se enquadram no âmbito das permissões ou dos conselhos, não dos preceitos ou das proibições de uma lei, conforme escrevemos acima ao analisá-lo.

A outra conclusão é que toda pessoa está obrigada a cumprir o voto feito sob pena de vir a ser castigada. De fato, o que a lei humana permite a uma pessoa fazer ou evitar, impõe àquele que faz uma promessa, por um motivo justo, a cumpri-la sob pena de receber um castigo civil. Da mesma forma, assim também a pessoa que faz um voto a Deus tem a obrigação de cumpri-lo, sob pena de incorrer num castigo na outra vida, fato esse que parece estar em consonância com a Sagrada Escritura. Com efeito diz o salmista: "Cumprirei meus votos feitos perante o Senhor" (Sl 116,14-18). Cristo fala igualmente no capítulo 22 do Evangelho de Mateus: "Dai a César o que é de César e a Deus o que é de Deus" (v. 21). Portanto, como as promessas, que se denominam votos, são feitas a Deus por uma razão justa, conforme vimos ao descrevê-lo, quem as faz, considerando que possuem a mesma natureza, deve observá-las.

5 – A terceira conclusão é a seguinte: o Bispo de Roma ou qualquer outro bispo ou sacerdote não pode desligar uma pessoa do compromisso de observar um voto feito ou prometido simplesmente e sem outra condição a Deus ou a alguns espíritos bem-aventurados; por exemplo, aquele de agradar a outrem, ou o de fazer ou não uma ação durante um certo tempo, de modo que a mesma não esteja absolutamente obrigada a observá-lo.

A razão disso é que a pessoa que está civilmente obrigada à observância de um compromisso não pode ser desligada por ninguém de seu dever, a não ser, ou por aquele perante o qual se comprometeu de modo lícito, ou por um juiz superior a quem está vinculada e perante quem assumiu o compromisso.

Ora, a pessoa que faz um voto lícito a Deus está obrigada perante Ele e deve simplesmente observá-lo, não tendo nenhum vínculo a esse respeito com o Bispo de Roma ou qualquer outro sacerdote. Se o voto, como dissemos, foi simplesmente feito ou prometido a Deus ou a algum dos espíritos bem-aventurados, sem nenhuma condição, nem o Bispo de Roma e tampouco qualquer outro bispo ou sacerdote pode ser o juiz e superior, quer do promitente, quer de Deus ou do espírito bem-aventurado a quem a mesma tiver feito uma promessa ou um voto.

Portanto, o Bispo de Roma ou qualquer outro dentre os sacerdotes não pode simplesmente liberar a pessoa do mencionado voto, a ponto de que ela esteja livre da obrigação de cumpri-lo perante Deus.

Ademais, não há precisamente na Lei Divina um texto ou mandamento, sob a forma de preceito ou de conselho, dizendo que o Pontífice Romano ou um outro sacerdote possui tal poder e não se pode inferir necessariamente da Escritura semelhante pretensão.

Entretanto, admitimos que, se um voto não foi feito simples e absolutamente, mas sob condição, quer dizer, subordinando-o ao julgamento de algum ou de muitos sacerdotes, então a pessoa que o fez dessa forma poderá vir a ser liberada da obrigação de cumpri-lo pelo sacerdote ao julgamento de quem tiver se comprometido a observá-lo, porque esse voto não é uma promessa feita simplesmente a Deus, mas sobretudo àquele sacerdote.

IX

1 – A quarta conclusão é a seguinte: ninguém ao fazer um voto pode, em razão do mesmo, obrigar uma outra pessoa a sua observância, se dela não tiver obtido expressamente um mandato ou preceito. Essa pessoa já deverá ter atingido a idade requeri-

da para fazer o voto, o que é igualmente notório a partir de sua descrição anteriormente feita.

De fato, o voto é e deve ser uma promessa espontânea e não forçada da parte de quem o profere, relativo a algo a ser feito ou não, sobre o que se tem conhecimento. Não se pode fazer uma promessa a respeito de assuntos desconhecidos. Por isso não se pode efetivamente, por causa de seu próprio voto, obrigar ninguém, em qualquer circunstância, que o desconhece ou que não deseja fazê-lo, a observar aquele voto.

Daí, segue-se, e tudo sugere que assim é, que o voto feito pelos sacerdotes ocidentais, por força da determinação de um concílio dos mesmos ou por outra disposição sancionada fora do mesmo, quanto a não se casar ou ainda os relativos a outros conselhos, concernentes a fazer ou não algo que não se enquadra na categoria de preceito da Lei Divina e não pertence ao ofício sacerdotal, como o jejum, e outras práticas semelhantes, não obrigam os seus sucessores, quer dizer, aquelas pessoas que os sucedem no exercício do encargo sacerdotal, a cumpri-los ou observá-los, porque essas pessoas, além de os desconhecerem, não os fizeram espontaneamente.

Por conseguinte, elas não estão de modo algum obrigadas a cumpri-los, sob pena de virem a ser castigadas neste e no outro mundo, a menos que talvez essas disposições tenham sido mais tarde estabelecidas pelo legislador humano, de forma que ninguém poderia querer assumir o encargo sacerdotal se ao mesmo tempo não se dispusesse a observar aqueles votos ou conselhos expressamente propostos.

Pela mesma causa e razão afirmamos também que nenhum religioso mendicante, ou monge, ou membro de outra congregação, não importa qual seja sua denominação, pode e deve ser obrigado a observar um voto ou uma promessa feita novamente por sua irmandade, além daquele que prometeu cumprir e pertencente à Regra, a menos que o novo compromisso ou voto feito na profissão religiosa da congregação seja incluído na Regra e dela seja uma consequência necessária.

2 – Será que um professo pode liberar-se de seu voto, de maneira que daí por diante não deva mais cumpri-lo, sem vir a incorrer num castigo no outro mundo?

Tudo indica, no tocante a essa questão, que se deve responder do seguinte modo: se for para agir melhor agradando mais a Deus ou para fugir das ocasiões próximas do pecado nas quais poderá cair com muita frequência vindo a ofender bem mais a Deus, o professo pode se eximir do cumprimento de seu voto, porque deve ter em mente se o que tem a fazer de melhor ou evitar de pior, está de acordo com a Lei Divina, e se tal modo de agir melhor ou, como dissemos, de evitar o pior, não puder ser observado, mantendo seu voto. Aqui vai um exemplo do que acabamos de falar. Suponhamos que alguém tivesse prometido a Deus levar uma vida solitária em determinada floresta e logo após o referido voto fosse escolhido para exercer um encargo espiritual, o episcopado ou outra dignidade eclesiástica espiritual superior. Mais um exemplo: se outra pessoa qualquer, homem ou mulher, na adolescência tivesse feito um voto de castidade perpétua e de uma abstinência total dos prazeres carnais e mais tarde passasse a ser perturbada a tal ponto pelo aguilhão da carne que acabasse por ser levada a cair frequentemente no pecado da fornicação, pensamos que seria muito melhor que tal pessoa se liberasse do voto que tinha feito, pois as condições supraditas ou outras semelhantes parecem estar incluídas no voto com vista à sua eficácia.

De fato, conforme escrevemos, aquele que renuncia ao cumprimento de um voto deve fazê-lo com retidão de consciência, a fim de agir melhor ou evitar o pior, o que não terá condições de fazer por si mesmo, se mantiver seu compromisso. Ademais, as pessoas que se desobrigam de seu voto e assim passam a agir melhor, evitando o pior, pensamos que não resgatam menos seu voto ou promessa feita a Deus, ao contrário fazem muito mais do que isso.

A prova de que alguém pode renunciar ao cumprimento de seu voto, por causa de motivos razoáveis acima expostos ou de outros ainda, é que o Bispo de Roma e todos os outros sacerdotes, a quem ele conferiu esta autoridade, dizem e com frequência assim agem, ao desligar efetivamente um bom número de pessoas de ambos os sexos da obrigação de cumprir o voto assumido pela profissão de sua Regra ou de uma ordem, tanto os Mendicantes quanto outros monges, e os sacerdotes dizem também que aquelas pessoas desligadas da obrigação de cumprir seu voto, através de sua licença ou consentimento, daí por diante não mais estão obrigadas a observá-lo, estando isentas de incorrer num castigo nesta e na outra vida.

Suponhamos também que os votos tenham sido simplesmente professados sem nenhuma condição, ensejando que os sacerdotes possam fazer com que as pessoas que os pronunciaram renunciem licitamente ao cumprimento dos mesmos sem incorrer em pecado. Já escrevemos anteriormente qual é a maneira correta de evitar tal situação, acrescentando o motivo pelo qual não é lícito, por força da autoridade sacerdotal, nem de algum bispo, não importa quem seja, mesmo que se trate do Bispo de Roma, chamado papa. Todavia esta questão deve ser considerada, queira ou não o bispo ou sacerdote, de acordo com a consciência e o julgamento daquela pessoa que proferiu o voto, e segundo uma interpretação benevolente da causa que a levou a renunciar o seu cumprimento.

3 – Falta examinar se, por acaso, uma pessoa que fez um voto e mais tarde, sem apresentar uma razão urgente, deixou de cumpri-lo, incorrerá por isso num castigo eterno ou temporário, quer dizer, por tempo limitado, na vida futura?

Resumindo, sabemos que, entre os votos, há alguns que são proferidos pelas pessoas, tendo em vista a consecução de algo na outra vida e que, de modo algum, será alcançado nesta vida. Como tais votos não são preceitos, mas apenas atos espontâneos, quer dizer, se enquadram na categoria dos conselhos, que nem mesmo chegam a ser computados pela Lei Divina como preceitos, mas exclusivamente ações recomendáveis, afirmamos que renunciar espontânea ou livremente ao cumprimento dos mesmos não conduz o promitente a receber um castigo eterno na vida futura. Entretanto, como esse gesto talvez seja um sinal de inconstância ou de desprezo e um mau exemplo dado a outras pessoas, quem renuncia o seu voto poderá incorrer nalgum castigo durante determinado tempo.

Por outro lado, há alguns votos feitos com o propósito, ou de se obter, ou de se escapar e de evitar algo neste mundo. Se aquele que fez tal voto não obteve nem se livrou de algo e por tal motivo não vier a cumpri-lo, estimamos pela mesma razão que essa pessoa não incorrerá em nenhum castigo no outro mundo. Mas se alguém fez um voto e alcançou nesta vida o que suplicava, tendo se comprometido a realizar ou deixar de fazer alguma coisa, caso não cumpra com o prometido, estará sujeito a padecer um sofrimento na vida futura. Cabe somente a Deus, no entanto, julgar a respeito da maneira e da duração, finita ou infinita, do castigo em que incorrerá tal pessoa. Pessoalmente consideramos que nada existe na Escritura Sagrada que diga que a mesma irá sofrer na outra vida um castigo eterno ou temporário.

Não podemos dissimular nada igualmente sobre esse assunto. Assim, afirmamos que os votos prometidos com vista a alcançar benefícios ou a evitar desgraças neste mundo não são, falando precisamente, conselhos, mas permissões, e, considerando-se que, no âmbito das coisas a serem feitas, ou evitadas nesta vida, tais votos são feitos visando conseguir ou evitar algo aqui mesmo na terra, segue-se que é necessário cumprir a promessa, principalmente quando se obteve aquilo que se desejava graças àquela promessa, ou ainda quando as desgraças foram afastadas. Por isso, as pessoas que renunciam espontaneamente o cumprimento de tais promessas, sem haver uma razão premente, estão muito mais sujeitas a vir a receber um castigo na outra vida do que se tivessem renunciado a cumprir seu voto ou promessa, com vista a obter uma recompensa na outra vida, não nesta. Tais votos feitos por quem os proferiu, o foram como conselhos, de acordo com o sentido próprio do termo e no tocante àquilo recomendado como tal pela Lei Divina. A renúncia ao cumprimento desses votos no sentido próprio da palavra ou das coisas aconselhadas, mesmo se for espontânea, não havendo uma razão premente, não conduz de fato ninguém a receber um castigo eterno e não se pode asseverar de maneira provável que tal acontecimento seja demonstrado através da Sagrada Escritura.

O que dissemos não conflita com as palavras do salmista citadas anteriormente: "Cumprirei com meus votos perante o Senhor", nem tampouco com aquelas proferidas pelo Cristo: "Dai a César o que é de César e a Deus o que é de Deus" (respectivamente: Sl 116,14-18 e Mt 22,21), pois do que se escreveu não se pode concluir nada além do seguinte: quem faz um voto e não o cumpre, quer dizer, deixa de fazê-lo, está sujeito a receber qualquer castigo, mas por esse motivo não incorre numa punição perpétua.

X

1 – Algumas pessoas inferem do poder das chaves sacerdotal uma quinta conclusão: os bispos ou sacerdotes e o Bispo de Roma, chamado papa, de modo especial podem excomungar um pecador neste mundo, graças à sua autoridade, desde que o mesmo não se arrependa de seus pecados, e entregá-lo a satanás. Podem ainda interditar a celebração dos ofícios divinos àquelas comunidades cujos cristãos não obedecem às suas ordens ou preceitos, recusar-lhes os sacramentos e outros dons espirituais. Tais pessoas, conforme se verá a partir do que es-

creveremos posteriormente, fundamentam esse ponto de vista em inúmeras passagens da Escritura.

O Mestre das Sentenças expõe melhor ainda essa opinião, na distinção 18, capítulo VII, próximo do final, quando afirma: "Há um outro modo de ligar e desligar, isto é, na ocasião em que qualquer pessoa recebeu a terceira advertência conforme a disciplina canônica" (*Comentário às Sentenças*, Cap. IX).

Citamos esse texto na íntegra, próximo do final do capítulo 6º da 2ª parte do *Defensor da paz*, e no propósito de sermos breves achamos por bem omiti-lo. Assim, resumindo o pensamento do Mestre a esse respeito, salientamos que ele diz o seguinte: Se os pecadores, apesar dos preceitos dos sacerdotes, não quiserem se arrepender de seus pecados, nem resistirem à tentação de cometê-los de novo, os bispos ou presbíteros, principalmente o antístite romano, podem, em seguida à terceira advertência, excomungá-los, quer dizer, privá-los ou excluí-los de uma dupla comunhão eclesial, uma delas concernente aos sufrágios espirituais, os quais todos os fiéis obtêm e compartilham graças às orações da Igreja rezadas pelos sacerdotes.

Tal fato gera um outro prejuízo aos pecadores: permite-se muito mais que se atirem nos braços da morte causada pelo pecado e que mergulhem na maldade, na mesma proporção em que se concede ao maligno um poder bem maior para os seduzir ou seviciar.

Daí, privando os pecadores de tais sufrágios, os sacerdotes dizem que os mesmos ficam à mercê do demônio ou lhe são entregues.

Os presbíteros acreditam e ainda afirmam que, unicamente graças ao seu poder ou aquele possuído por sua corporação, podem privar os pecadores de uma outra convivência, isto é, a civil, de modo que nenhum outro cristão deve participar com os mesmos de qualquer ato reservado, doméstico ou social, falando, consentindo ou ainda de fato, e tem igualmente o dever de acatar essa proibição, sob pena de incorrer no castigo da condenação eterna.

2 – Na verdade, aparenta que tais premissas se fundamentam na Sagrada Escritura. Com efeito, os Apóstolos de Cristo, a respeito de quem se acredita que os bispos ou presbíteros são os sucessores, exerceram esse poder ou autoridade sobre os fiéis, conforme se lê em inúmeras passagens da Bíblia. Daí o Apóstolo, no capítulo 5 da 1ª Epístola aos Coríntios, falar o seguinte: "Se há entre vós um irmão que rouba, ou que seja avarento ou idólatra" etc., e acrescenta: "Não tomeis refeição com tal pessoa" (v. 11). E de novo na 1ª Epístola aos Coríntios diz: "Já julguei aquele que assim procedeu [...] é preciso que [...] entreguemos essa pessoa a satanás para a perda de sua carne, a fim de que o seu espírito seja salvo" (5,4-5). O Apóstolo na 1ª ou 2ª Carta a Timóteo ainda fala o seguinte: "Tenho consciência e boa-fé que algumas pessoas, não as possuindo mais, vieram a naufragar na fé. Entre elas se encontram Himeneu e Alexandre", e em seguida afirma: "os quais entreguei a satanás, a fim de que aprendam a não mais blasfemar" (1Tm 1,19-20). E na Epístola a Tito, capítulo 3, ele diz o seguinte: "Quanto ao herege, após uma primeira advertência seguida de outra, rompei com ele; tal indivíduo se condena a si mesmo com o próprio julgamento" (v. 10-11). E na 2ª Epístola de João ainda está escrito o seguinte: "Se alguém chega até vós sem ser portador desta doutrina, não o

recebais junto a vós, abstende-vos de saudá-lo" (2Jo 10) [N.T.: as citações da Escritura feitas por Marsílio de Pádua não são precisas, conforme os textos da Vulgata ou da Bíblia de Jerusalém].

Dessas palavras ou escritos tudo indica que essa autoridade para excomungar coube aos Apóstolos e, por conseguinte, por extensão, aos bispos ou presbíteros que os sucederam no ofício sacerdotal. Entretanto, não me recordo de ter lido na Escritura que Cristo e os Apóstolos lançaram interditos sobre comunidades e tampouco, graças à mesma, que tal função seja da competência dos sacerdotes, mas justamente o contrário.

Portanto, retornando ao início dessa questão, dizemos que, se examinarmos diligentemente as páginas da Escritura Sagrada, veremos que excomungar é algo diferente, isto é, consiste em pôr um pecador fora da comunhão ou espiritual ou civil, outra coisa é entregá-lo a satanás.

De fato, afirmamos anteriormente, de acordo com a opinião do Mestre das Sentenças e de todos os outros sacerdotes em geral, que a excomunhão é separar alguém da comunhão espiritual e nos referimos também a respeito da excomunhão civil dos pecadores.

Ora, entregar uma pessoa a satanás, de acordo com a interpretação correta das palavras do Apóstolo e da Escritura, não é a mesma coisa, pois exclui as duas espécies acima referidas, tendo em vista que tal atitude, de conformidade com as mesmas fontes, consiste em suplicar e orar a Deus, por intermédio dos sacerdotes e do conjunto dos fiéis, a fim de que o pecador que somou muitos desmerecimentos seja, com a autorização ou ordem do poder divino, atormentado em sua carne, não em seu espírito, por satanás, o demônio. Daí, o Apóstolo na 1ª Epístola aos Coríntios, capítulo 5, ter afirmado: "Já julguei [...] aquele que assim procedeu, estando vós e meu espírito reunidos em assembleia com o poder do Senhor Jesus [...] seja entregue a satanás para a perda de sua carne, a fim de que o seu espírito seja salvo" (v. 3-4; A citação do texto bíblico feita por Marsílio, uma vez mais, é incompleta, não correspondendo aos textos da Vulgata ou da Bíblia de Jerusalém).

Por conseguinte, eis o que o Apóstolo queria dizer: a entrega do pecador, pelo sacerdote, a satanás, é feita através de orações em conjunto com os fiéis, invocando o poder divino, de modo que ele venha a ser atormentado apenas em sua carne, isto é, em seu corpo e não em sua alma ou espírito.

Isto é também o que diz a glosa de Agostinho sobre aquela passagem bíblica. Citamo-la no capítulo 6 da 2ª parte do *Defensor da paz*. Omitimo-la aqui no propósito de resumir.

Por esse motivo, com todo o respeito ao Mestre das Sentenças, diremos a todos aqueles que seguem seu ensinamento que não é possível comprovar pela Bíblia que um pecador, em razão de seu crime ou pecado, possa vir a ser excomungado e privado da comunhão das preces da Igreja e também de seus sufrágios, dos quais os fiéis estão em contínua participação. Aliás, podemos muito bem demonstrar justamente o contrário, baseando-nos na Escritura e nas palavras do Apóstolo, citadas acima: "A fim de que seu espírito seja salvo".

Paulo na 2ª Epístola aos Coríntios, último capítulo, ainda diz: "Com efeito, o Senhor me deu o poder para edificar e não para destruir" (13,10), acrescente-se as almas. Ademais, Cristo, no capítulo 5 do Evangelho de Mateus, fala: "Orai pelos que vos perseguem" (v. 44).

Agostinho e Próspero ainda afirmam: "Não devemos nos desesperar por causa do mau exemplo dos pecadores, porém suplicar a Deus que se tornem bons; até agora toda a Igreja parece orar e de fato reza pelos infiéis, pelos hereges, pelos cismáticos, pelos pérfidos judeus e por todos os demais pecadores". [Trata-se de um comentário de Próspero de Aquitânia a uma passagem de Santo Agostinho, PL, LI, 453, N.T.]

Tudo indica, portanto, que o poder dos sacerdotes não consiste em privar os pecadores dos sufrágios espirituais que eles podem lhes conceder através das preces de todos os membros da Igreja. Na verdade, tal ação dos presbíteros não contribuiria para "edificar" as almas, mas pelo contrário as destruiria.

Crisóstomo expressou o mesmo ponto de vista em seu livro *Sobre os Diálogos.* [N.T.: trata-se de um texto tirado do *Livro sobre o Sacerdócio*, II, Capítulo III, PG 48, 634.] Citamos essa passagem nos capítulos 5 e 9 da 2ª parte do *Defensor da paz.* Não a citaremos aqui, com o propósito de não nos estendermos em demasiado. Além disso, constata-se na Antiga Lei (Livro de Jó) que isso contradiz a ordem divina. Deus efetivamente permitiu que satanás atormentasse Jó em seus bens, em seus filhos e em seu próprio corpo. Contudo, sempre o proibiu de atormentá-lo em sua alma.

É por esse motivo que afirmei anteriormente que a opinião, segundo parece, defendida pelo Mestre das Sentenças e pelos que seguem seu ensinamento, de acordo com a qual os sacerdotes ou pastores podem, com a Igreja dos fiéis ou sem a mesma, privar os pecadores das preces e sufrágios ou suplicar a Deus que os prive, para que Ele lhes permita mergulhá-los na morte do pecado e, dessa forma, que um enorme poder seja concedido ao demônio para os atormentar em sua alma ou espírito, não está de acordo com a Escritura, antes, pelo contrário, em perfeita dissonância. Daí ser necessário discordar desse ponto de vista e dos que o defendem.

É também pela mesma razão que dizemos não ser possível comprovar através da Escritura Sagrada que os bispos ou sacerdotes apenas ou somente a sua corporação tenham o poder ou a autoridade para interditar a distribuição das graças divinas às várias comunidades de fiéis que não lhes obedecem, pois no capítulo 10 do Evangelho de Mateus está escrito: "O que eu vos digo" etc. "proclamai de sobre os telhados" (v. 27). Segundo essas palavras é óbvio que Cristo não desejou que a divulgação das coisas divinas fosse proibida pelos Apóstolos e seus sucessores aos rebeldes. Ele desejou muito mais que fossem divulgadas, fato esse confirmado inclusive por São Pedro, através de seu exemplo e ação, conforme se lê nos Atos dos Apóstolos. De fato, capturado pelos rebeldes judeus e encarcerado, Pedro não lhes subtraiu nem deixou de lhes anunciar e divulgar as coisas divinas e, além disso, quando foi libertado da prisão ele lhes pregou muito mais aquelas coisas.

3 – Além disso, afirmamos que excomungar civilmente uma pessoa ou privá-la da convivência civil, de acordo com as modalidades já descritas, não faz parte do poder de um só bispo ou sacerdote,

em conjunto ou separadamente, nem é da competência do Pontífice Romano, denominado papa, sem o consentimento ou autorização do conjunto de todos os fiéis ou de sua parte mais relevante, residentes no lugar, enfim, dos cidadãos cuja convivência deve ser proibida ao pecador. Demonstramos isso cuidadosamente recorrendo não apenas à Sagrada Escritura, mas também a argumentos evidentes, nos capítulos 6 e 10 da 2ª parte do *Defensor da paz*.

Recorrendo-se a essa fonte não se demonstra que os sacerdotes possuam tal poder ou autoridade, aliás, pode-se comprovar justamente o contrário, porque a mesma se revestiria de um caráter coercivo incidindo sobre as pessoas, os bens materiais ou ambos, na vida civil, neste mundo, e de modo mediato. Ora, essa autoridade não convém absolutamente aos sacerdotes, conforme se demonstrou pela Sagrada Escritura, nos capítulos 4, 5, 8 e 10 da 2ª parte do *Defensor da paz*.

Sobre isso recordemos a conclusão principal da 2ª parte da obra acima referida: na hipótese de tal fato acontecer num determinado lugar, todos os líderes civis da nobreza e do povo seriam desnecessários e os padres poderiam submeter ao seu controle temporal e civil todas as pessoas e comunidades. De fato, ao privar uma pessoa da convivência civil neste mundo, a mesma viria necessitar de certas coisas indispensáveis à sua sobrevivência. Suponhamos, por exemplo, que um sacerdote pudesse proibir a um médico ou a qualquer outro artífice a convivência social e a divulgação de suas obras aos demais cidadãos, a tal ponto que os fiéis tivessem que se conformar com essa situação, sob ameaça de não obterem a salvação eterna. Então, os presbíteros ou apenas sua corporação poderiam infligir a todo pecador o castigo do exílio e a privação dos salários ou proventos que toda pessoa necessita para sustentar a si próprio e sua família, aqui neste mundo. Ora, isso está em desacordo com toda Sagrada Escritura, conforme demonstramos mais acima.

É por essa razão que se pode e se deve inferir das asserções sobreditas que não compete à autoridade ou ao poder dos sacerdotes excomungar espiritual ou civilmente os fiéis, isto é, privá-los dos sufrágios religiosos e da convivência social, nem lançar interdito sobre as comunidades dos fiéis, ou negar-lhes a celebração dos ofícios divinos. E digo mais: o bispo ou sacerdote, não importa quem seja, peca mortalmente interditando ou negando qualquer ofício religioso, por exemplo, a celebração de missa ou pregação e outras práticas semelhantes como ainda a ministração de outros dons espirituais e divinos às comunidades cristãs que desejarem ouvi-la e recebê-los. Daí, na 1ª Epístola aos Coríntios, capítulo 9, o Apóstolo afirmar: "Ai de mim se eu não anunciar o Evangelho! É um encargo que me foi confiado" (v. 16), missão essa que lhe foi conferida através do encargo sacerdotal ou episcopal.

Entregar um pecador a satanás tem, portanto, um significado bem diferente de excomungar. Ademais, os fiéis não estão obrigados, tendo em vista a necessidade da salvação eterna, a obedecer ou obtemperar os preceitos dos sacerdotes, suas excomunhões ou seus interditos relativos às coisas divinas.

4 – Quanto aos argumentos que alegam encontrar para sua justificativa através da Escritura, podemos refutá-los dizendo primeiramente o seguinte: o que a Bíblia diz está quiçá sob a forma de conselho, não de preceito, e admitindo-se a hipótese

que a mesma tenha prescrito evitar a convivência com determinados criminosos, respondemos que a autoridade para determinar ou prescrever tal comportamento ou outro qualquer contra os rebeldes não compete apenas aos sacerdotes ou somente à sua corporação, antes, pelo contrário, isto é da alçada ou do poder do conjunto dos fiéis ou de sua parte mais relevante, a quem cabe excluir o pecador, tendo em vista o seu crime, segundo demonstramos claramente no 6º capítulo da 2ª parte do *Defensor da paz.* Quem tiver o cuidado de procurar aí poderá encontrar não apenas as justificativas desse ponto de vista, mas também as citações bíblicas, tanto do Apóstolo quanto de São João, acima referidas, e sua interpretação correta acerca de tal questão, pois trata-se de um preceito dirigido à multidão ou ao conjunto dos fiéis, civil ou doméstico, conforme é notório através do texto de suas epístolas ou escritos e dos comentários às mesmas feitos pelos santos que citamos anteriormente.

5 – Sobre o poder de entregar uma pessoa ao demônio, baseando-nos nas palavras da glosa sobre a citada passagem da 1ª Carta aos Coríntios, capítulo 10: "Já julguei" etc. "para entregar a satanás para a perda da sua carne", convém observar que o Apóstolo afirma possuir a virtude ou graça pela qual o diabo viria a afligi-lo em sua carne, isto é, corporalmente. No entanto, ele estava se referindo àquelas pessoas pelas quais orou (a Deus), a fim de que fossem atormentadas, em razão dos crimes que haviam cometido, graças, porém, à ordem ou ao poder divino. De fato, Paulo na condição de homem ou enquanto bispo ou sacerdote não recebeu de Deus um poder ou autoridade para fazer tal coisa,

antes pelo contrário apenas em razão de seus méritos espirituais.

Se Paulo a tivesse recebido enquanto bispo ou sacerdote, então todos os sucessores dele e dos outros Apóstolos no encargo episcopal ou sacerdotal teriam igualmente recebido aquela autoridade. O contrário foi e é justamente comprovado por todos eles, desde aquela época até hoje.

Resta considerar se convém e a quem compete o poder para separar ou privar os hereges da convivência com os demais fiéis cristãos.

Quanto a isso, no que tange principalmente à vida sociofamiliar, ao relacionamento habitual, às conversas e especialmente no que respeita a salvaguardar a vivência da fé, sobretudo após os hereges terem sido advertidos por duas vezes consecutivas, segundo o conselho do Apóstolo, afirmamos que deverão ser evitados, de modo que não venham a contaminar os demais. Todavia, os infiéis não hereges não devem ser marginalizados dessa mesma forma.

É por isso que Paulo na 1ª Epístola aos Coríntios, capítulo 10, afirma: "Se um pagão vos convida a comer, tomai de tudo que vos for oferecido, sem vos questionardes por motivo de consciência" (v. 27). Portanto, a convivência sociofamiliar com os pagãos não é proibida pela Escritura, embora o Apóstolo diga: "Vós não podeis carregar o jugo com os pagãos" (2Cor 6,14; N.T. O texto da Vulgata e o da Bíblia de Jerusalém não correspondem à citação bíblica feita por Marsílio), porque tal passagem deve ser entendida em relação à crença e à vivência da fé, não quanto a qualquer outra maneira de convivência sociofamiliar, como vimos mais acima. Ademais, Paulo também disse: "Um marido pagão será salvo pela esposa cristã" (1Cor 7,14).

6 – Tratamos amplamente no capítulo 10 da 2ª parte do *Defensor da paz* a respeito de quem possui a autoridade para excluir os hereges da convivência com os fiéis, impondo-lhes um castigo pessoal e real sobre os mesmos ou sobre seus bens. Esta autoridade não compete nem aos sacerdotes nem à sua corporação, mas aos príncipes seculares ou ao legislador cabe-lhes também dispor de todos os bens dos hereges.

XI

1 – Convém indagar, agora, se o romano Pontífice, chamado papa, detém alguma plenitude do poder no âmbito espiritual, estando acima dos outros Apóstolos ou sacerdotes, graças ao fato de o mesmo suceder ao bem-aventurado Pedro. Por acaso ele possuiu e exerceu tal plenitude do poder sobre os demais Apóstolos, a qual lhe foi conferida imediatamente por Deus ou Cristo?

Lemos, com efeito, no Evangelho de Mateus, capítulo 28, que Cristo possui a plenitude do poder. Ele disse: "Todo poder me foi dado no céu e na terra" (v. 18). Ora, como São Pedro sucedeu a Cristo, e os Pontífices romanos, chamados papas, foram e são os sucessores de São Pedro, conforme se afirma, tudo indica que o Príncipe dos Apóstolos, na condição de sucessor de Cristo, e os Sumos Pontífices enquanto sucessores de Pedro, detêm a mencionada plenitude do poder.

Nós redarguimos tal asserção dizendo que Cristo foi o único suposto possuindo duas naturezas, a divina e a humana. Daí ter sido Deus e homem verdadeiro, podendo perfeitamente lhe convir aquele atributo enquanto Deus, qual seja, o poder de criar o mundo e todas as coisas visíveis e invisíveis, e de fazer milagres sobrenaturais neste mundo, como ressuscitar os mortos e outras coisas semelhantes.

Cristo ainda tinha o poder de promulgar e outorgar a Lei Divina à humanidade, com vista à consecução da outra vida, de julgar e punir através de um julgamento coercivo, de conformidade com tal Lei, os seus transgressores e recompensar os seus cumpridores. Daí, Tiago, no capítulo 4 de sua carta, afirmar: "Só há um legislador e juiz. Aquele que pode salvar e destruir" (v. 12). Já citamos essa passagem bíblica antes e, por causa da mesma, acreditamos ser uma verdade de fé que Cristo, segundo está escrito no Apocalipse: "é o Rei dos reis e o Senhor dos senhores" (Ap 19,16).

Baseando-nos também nesta frase, afirmamos que nenhum homem ou Apóstolo pôde ou pode sucedê-lo. Por isso, Agostinho no tratado *De Verbis Domini*, décimo sermão, sobre o Evangelho de Mateus diz: "Aprendei de mim não a criar o mundo e todas as coisas visíveis e invisíveis, não a fazer milagres e ressuscitar os mortos neste mundo, mas aprendei de mim que sou manso e humilde de coração" (Santo Agostinho, Sermão LXIX sobre Mt, PL XXXVIII, 441). Isto é o que cabia a Cristo de acordo com sua natureza humana. É por isso que certas situações lhe convinham enquanto homem, tais como "ter nascido de uma mulher segundo a Lei" (Gl 4,4), conforme diz o Apóstolo: "E quando veio a plenitude dos tempos, Deus enviou seu Filho nascido de uma mulher, segundo a Lei", e ainda ter sido circuncidado, despojado de tudo, padecido de sede, sofrido, ter morrido corporalmente, ressuscitado dentre os mortos e muitas outras coisas semelhantes. Omitimo-las aqui com o propósito de resumir, considerando também que todas as pessoas as conhecem através da Escritura Sagrada.

2 – Por conseguinte, todos os Apóstolos e seus sucessores, os bispos ou presbíteros, sucederam a Cristo na condição humana e sacerdotal, mas ninguém, nem mesmo os Apóstolos puderam ou podem sucedê-lo enquanto Deus ou como Deus e homem simultaneamente. É nessas duas formas que todo poder no céu e na terra foi dado a Cristo, quer dizer, a plenitude do poder foi-lhe concedida exclusivamente por causa de sua divindade, de modo que essa plenitude do poder não pôde nem pode convir a algum apóstolo sucessor, pois nenhum deles teve ou tem duas naturezas, a divina e a humana, num único suposto.

3 – Quanto ao resto, isto é, se São Pedro pessoalmente foi sucessor de Cristo e se deteve um poder que os demais Apóstolos não possuíram, poder esse que Deus ou Cristo lhe conferiu imediatamente, e se foi assim que ele foi escolhido como cabeça da Igreja, são os problemas que iremos examinar agora.

Na verdade, algumas pessoas acreditam e declaram que São Pedro possuiu um poder no âmbito espiritual e talvez ainda no temporal ou civil, e o exerceu sobre todos os outros Apóstolos e que ele foi escolhido como a cabeça da Igreja. Por esse motivo, a Igreja de Roma é não apenas a cabeça, mas também exerce uma liderança sobre as demais, pois Deus ou Cristo conferiu uma autoridade diretamente a São Pedro.

Embora aparente que se possa comprovar essa opinião através de inúmeras passagens da Escritura, por agora não as citaremos, porque as mesmas serão ampla e copiosamente transcritas como veremos mais abaixo.

Todavia, queremos nos referir e acrescentar, além dessas passagens bíblicas, a argumentação de algumas pessoas que se empenham em demonstrar a tese aludida acima. Com efeito, segundo asseveram e dizem, toda a Igreja Cristã sempre acreditou e ensina até hoje que a Igreja universal não pode errar. Segue dessa premissa que São Pedro deteve e possui a citada preeminência sobre os outros Apóstolos e que a Igreja romana igualmente a possui e exerce sobre as demais Igrejas, conforme nos referimos anteriormente, e inferem ainda que os bispos de Roma exercem tal preeminência sobre os outros bispos e sacerdotes.

Quanto a nós, respondemos que a Igreja universal dos fiéis cristãos, conforme expõe a Sagrada Escritura, pode ensinar algo sobre aqueles assuntos em que se deve acreditar como necessários à salvação eterna, tal é o caso dos artigos da fé e todos os outros preceitos semelhantes em consonância com o texto bíblico e tudo o mais que dele se infere coerentemente.

Acrescentamos ainda que a Igreja universal pode opinar sobre as questões que concernem à celebração exata do ritual eclesiástico e sugerir o que é útil e adequado à convivência pacífica e tranquila dos homens vivendo em sociedade neste mundo e ainda como alcançar a beatitude e evitar o castigo ou suplício eterno, na outra vida.

A Igreja universal pode igualmente declarar algo sobre tais assuntos em razão de uma certa fama e costume que talvez provenham da afirmação de um ou de alguns homens autorizados e dessa maneira passou tal prática aos demais ou pode fazer isso também de acordo com a decisão tomada num Concílio Geral da Igreja, isto é, de todos os fiéis cristãos, reunido segundo as regras estabelecidas para tal.

Na verdade, quanto aos assuntos que segundo a Escritura se deve acreditar necessariamente por causa da salvação eterna, se houver um questionamento razoável sobre os mesmos e a Igreja universal tiver se pronunciado em perfeita consonância com a decisão e o posicionamento assumido pelo Concílio Geral, convocado, reunido e concluído de acordo com as regras estabelecidas para tal, é importante declarar que temos de acreditar firmemente em tais pontos doutrinários como necessários à salvação eterna de todos os fiéis cristãos, porque se constituem numa verdade segura e imutável, proveniente do mesmo Espírito inspirador da Escritura Canônica ou Sagrada, conforme tratamos amplamente disso no capítulo 19 da 2ª parte do *Defensor da paz*, onde quem desejar poderá encontrar esse tema.

Quanto ao fato de a Igreja universal ter se pronunciado a respeito de tais assuntos, devido à fama e ao costume provenientes da afirmação de um ou de alguns homens célebres, sem ter havido uma deliberação prévia do Concílio Geral, por exemplo, se tais ou tais pessoas hoje como no passado foram ou devam ser consideradas santas ou bem-aventuradas, declaramos que essa crença pode ser aceita como verdadeira por todos os fiéis, devido à fama ou ao costume acima referido, não, porém, como um dogma que se deve crer como necessário à salvação eterna.

Por isso, afirmamos também que a Igreja universal declara e pode declarar, seguindo a fama e o costume que se originou ou pode ter surgido a partir da crença do Bispo de Roma e de sua corporação de clérigos, segundo a qual São Pedro e a Igreja romana possuíram e exerceram uma preeminência sobre os demais bispos ou sacerdotes e todas as Igrejas em geral, pensando talvez que esse fosse o sentido das palavras bíblicas ou, quiçá, tendo em mente um santo propósito, qual seja o de conduzir com mais facilidade as Igrejas de Cristo à unidade e de incitá-las igualmente à obediência devida aos superiores. Daí não me recordar de ter lido na Escritura e tampouco haver inferido uma conclusão necessária de seu texto que Deus ou Cristo conferiu imediatamente essa preeminência a São Pedro ou à Igreja romana. Ora, não é preciso acreditar em tal ponto, em razão da salvação eterna, porque não se trata de um artigo de fé nem de um preceito da Escritura.

Os fiéis cristãos, redimidos por Cristo que sempre foi e é a cabeça da Igreja, podem muito bem salvar-se sem precisar crer que São Pedro é o chefe da Igreja ou que a Igreja romana foi colocada à frente das outras Igrejas. E se ambos detiveram ou exercem uma preeminência sobre os demais Apóstolos e Igrejas, tais fatos podem ser explicados pela conveniência. Assim, considerando que São Pedro era tido como o mais respeitado dentre os Apóstolos e tendo sido estabelecido bispo, pensamos que sua preeminência se originou do consenso ou da escolha feita pelos outros Apóstolos, segundo afirma Anacleto, cujas palavras transcrevemos no capítulo 16 da 2ª parte do *Defensor da paz*. Omitimo-las aqui, com o propósito de resumir.

Igualmente, o primado da Igreja romana pode também ter se originado ou em razão da conveniência já mencionada, ou pela tradição, ou por uma constituição promulgada pelo Concílio Geral dos fiéis cristãos, ou ainda pela decisão da vontade do supremo legislador humano, se bem que, embora tenhamos afirmado que esse primado pudesse provir de um desses motivos, pensamos que o mesmo conviria bem mais à Igreja de Jerusalém, onde inicialmente presidiram Cristo, o Príncipe dos pastores, e depois, antes de ocupar a Sé romana, Pedro, o mais famoso dos Apóstolos, na companhia de outros dois, mais ilustres que os outros. Foi lá que ele governou e exerceu o ofício de pastor.

Conforme dissemos anteriormente, se a Igreja universal opinar somente a respeito do ritual eclesiástico ou sobre a convivência e a situação social pacífica e tranquila dos homens, estabelecendo diretrizes a respeito disso em Concílio Geral, afirmamos que as mesmas devem ser observadas pelos fiéis. Contudo, eles não têm a obrigação de acreditar que são para sempre verdadeiras e igualmente úteis, como se tratassem de exigências necessárias para a salvação eterna, pois tais diretrizes muitas vezes podem e devem ser revogadas, sob outras condições e no momento adequado, total ou parcialmente, num outro Concílio Geral.

É por esse motivo que afirmamos que aquela condição de preeminência foi dada preferencialmente à Igreja de Roma e ao seu bispo pelo supremo legislador humano cristão e na verdade assim aconteceu de fato e de direito, conforme demonstram os registros humanos autênticos e fidedignos.

XII

1 – Tendo em vista o que acabamos de falar sobre o Concílio Geral, é oportuno indagar agora a respeito de quem é o supremo legislador humano e ainda qual espécie e quais províncias estão aptas a se organizar e constituir o mencionado Concílio.

Assim, com referência ao primeiro quesito, examinando-o afirmamos que o supremo legislador humano, desde a época de Cristo, e talvez mesmo há algum tempo antes, até hoje foi, é e deve ser o conjunto de todos os homens ou sua parte mais relevante em cada uma das regiões e províncias, os quais têm de estar subordinados aos preceitos coercivos da lei.

Considerando que este poder ou autoridade foi transferido pelo conjunto das províncias ou sua parte mais relevante ao povo romano, por causa de seu enorme valor, o mesmo sempre possuiu e detém o poder de legislar para todas as províncias do mundo; e considerando, ainda, que o povo romano transferiu igualmente esse poder ao seu Príncipe, é preciso reiterar semelhantemente que este detém o poder de legislar. Por conseguinte, tal autoridade ou poder de legislar vigora e continuará vigorando razoavelmente enquanto o conjunto das províncias não revogar tal concessão feita ao povo romano e este não fizer a mesma coisa em relação ao seu Príncipe.

Entendemos que esses poderes são corretamente revogados ou poderão sê-lo, quando o conjunto das províncias, por si próprias ou através de seus síndicos, e ainda o povo romano ou sua parte mais relevante, se reunirem da forma requerida e deliberarem por tomar aquela medida, conforme escrevemos e provamos no capítulo 12 da 1ª parte do *Defensor da paz*.

2 – Efetivamente o poder de legislar assim foi confiado ao povo romano e ao seu Príncipe, segundo podemos claramente ver tanto nos livros históricos dignos de crédito como na Sagrada Escritura. Aliás, demonstramos tal opinião nos capítulos 4 e 5 da 2ª parte do *Defensor da paz,* baseando-nos nas palavras de Cristo e dos Apóstolos, de acordo com as quais o povo romano e seu Príncipe detiveram o citado poder de legislar e exerceram uma justa monarquia sobre todas as províncias do mundo. Por isso, Jesus, o Apóstolo Paulo e também Pedro no 2º capítulo de sua Epístola Canônica, comprovando a existência do aludido poder, recomendaram a todas as pessoas não só respeitá-lo, mas também obedecer ao povo romano e ao seu Príncipe, sob pena de incorrerem no castigo da danação eterna. Daí Cristo falar: "Dai a César o que é de César" (Mt 22,21), e Paulo, no capítulo 13 da Carta aos Romanos, assim igualmente se exprimiu: "Toda pessoa se submeta às autoridades superiores"... etc. "por isso aquele que se opõe à autoridade resiste à ordem estabelecida por Deus. E os que se opõem dessa forma, atrairão sobre si a condenação" (v. 1-2), isto é, a eterna. E ainda na Carta a Timóteo ele disse: "Eu recomendo, pois, antes de tudo, que se façam orações"... etc. "pelos reis e por todos os que detêm a autoridade" (1Tm 2,1-2). Paulo na Epístola a Tito também fala: "Lembra-lhes, a quem tu estás a pregar, que devem ser submissos aos príncipes e aos magistrados" (Tt 3,1) e São Pedro, no texto citado mais acima, declara: "Sede submissos"... etc. "seja ao rei como soberano, seja aos governadores como enviados seus", isto é, por Deus, "para punir os malfeitores e para louvar os bons, porque esta é a vontade de Deus" (1Pd 2,13-15).

3 – Ora, sabe-se com certeza que todos os poderes àquela época estavam sob a autoridade dos romanos de modo justo, não tiranicamente, pois se fosse de outro modo Cristo e os Apóstolos não teriam admoestado as pessoas a se lhes submeter aceitando o seu principado, não obstante o fato de o povo romano e seus príncipes e aqueles que haviam sido instituídos por eles (no poder) serem pagãos. Disso resulta que pode existir, e de fato existiu, um império justo e verdadeiro entre os pagãos. Daí no capítulo 25 dos Atos dos Apóstolos estar escrito também: "Apelo a César, estou diante do tribunal de César, é lá que devo ser julgado" (v. 10-11). No entanto, o Apóstolo não ignorava que César e os governantes que estavam em Jerusalém, investidos por sua autoridade, eram pagãos.

Contudo, tal fato não impede que algumas pessoas afirmem que a dominação romana, tanto do povo quanto de seu Príncipe, se originou e foi estabelecida pela violência em razão de o povo romano, muitas vezes, haver utilizado a força contra alguns povos maus que queriam viver de modo injusto e bárbaro. Todavia, ele não submeteu o conjunto das províncias ou suas partes mais relevantes graças à violência. Pelo contrário, um bom número das províncias, constatando a benevolência do regime dos romanos, em razão de sua utilidade evidente, e querendo viver tranquila e pacificamente, escolheu espontaneamente sujeitar-se ao povo romano e ao seu Príncipe e se colocar sob a proteção dos mesmos.

É por esse motivo que no 1º Livro dos Macabeus (capítulo 8) está escrito que Judas, seus irmãos e todo o povo judeu aceitaram a amizade e se submeteram espontaneamente ao reino dos romanos, fato esse que se pode supor tenha ocorrido igualmente com todas as demais províncias do mundo. Ademais, conforme escrevemos antes, esse acontecimento acha-se descrito nas crônicas ou narrações históricas, escritas por autores fidedignos e a Sagrada Escritura o confirma também, de modo bem mais seguro, em razão dos testemunhos dados por Cristo e pelos Apóstolos.

4 – Quanto ao resto, a saber, por quem o Concílio Geral dos fiéis cristãos deve ser integrado ou constituído e sobre quem possui a autoridade para convocá-lo e reuni-lo e de que maneira o mesmo deve se realizar, tratamos disso no capítulo 21 da 2ª parte do *Defensor da paz*.

Entretanto, ainda é necessário acrescentar o seguinte: algumas pessoas acham que nenhum concílio deve ou pode ser qualificado como geral, se toda a Igreja grega não for convocada da forma requerida para dele participar. Com efeito, isso é ensinado, segundo o procedimento adotado nos quatro principais concílios: Niceno, Efesino, Constantinopolitano e Calcedoniano, pois bispos e prelados, os sacerdotes dos gregos, foram devidamente convocados a comparecer naqueles concílios por Constantino I e pelos príncipes que o sucederam, e a fé ou Igreja Cristã surgiu em primeiro lugar entre os gregos e depois no mundo latino. É por esse motivo que, na Epístola aos Romanos, o Apóstolo os coloca antes dos latinos, quando lhes dirige sua saudação inicial: "Em primeiro lugar ao judeu e ao grego" (Rm 1,16).

Na verdade, os gregos, segundo o parecer de muitos doutores na Lei Sagrada – e parece que o Mestre das Sentenças comunga da mesma opinião – não divergem dos latinos quanto à verdadeira crença a respeito da procedência do Espírito Santo, mas tal dissonância é aparente devido às palavras. Daí os gregos não deverem ser julgados cismáticos, embora o Bispo de Roma e o colégio dos cardeais, seus irmãos, quiçá afirmem que eles o são desnecessariamente, opinião essa que deve ser corrigida pelo povo romano e seu Príncipe, convocando um concílio que reúna tanto os gregos quanto os latinos, da mesma forma como procedeu Constantino I, a fim de que o referido cisma ou dissensão aparente venha a ser revogado, e a Igreja reencontre a unidade de Cristo, quer na doutrina, quer nas palavras.

5 – Um Concílio Geral tendo sido convocado da maneira requerida e realizado, com vista a esclarecer e definir alguma dificuldade quanto ao texto da Escritura, cujos ensinamentos todos os fiéis devem acreditar como necessários à salvação eterna, desde que tenham sido propostos corretamente, pode errar?

Devemos responder que nessas condições um Concílio Geral reunido segundo aquela exigência e com as referidas finalidades não pode errar, de acordo com o que dissemos no capítulo 19 da 2ª parte do *Defensor da paz*. Pouco importa o paralogismo que algumas pessoas inferem das posições e divisões, ao afirmar que se esta ou aquela pessoa pode errar no tocante às dificuldades em torno à doutrina, ocorrendo tal fato individualmente, deverá acontecer o mesmo com todas as pessoas reunidas em concílio.

Conforme dissemos, na verdade, essa ilação é falha na sua forma, pois embora tenha surgido uma divisão entre os indivíduos quanto ao significado do texto bíblico, contudo é falsa se vier a ser aplicada ao conjunto das pessoas e isso também acontece evidentemente noutras circunstâncias.

Com efeito, se alguém isoladamente não pode soltar um navio de suas amarras, ou fazer algo semelhante, sem o auxílio de outras pessoas, não decorre de tal fato que uma porção de indivíduos em conjunto não possa fazê-lo. Também acontece a mesma coisa de modo análogo ou proporcional num concílio, onde a multidão dos fiéis está reunida em conjunto, pois uma pessoa ouvindo outra predispõe seu espírito a chegar à verdade, o que não aconteceria se cada uma delas estivesse isolada ou separada das outras.

Além disso, tudo indica que esta foi e é a maneira correta de agir quando surgem dúvidas a respeito da doutrina, segundo a ordem divina, tendo sido, aliás, adotada pela Igreja primitiva. Na verdade, está escrito nos Atos dos Apóstolos (15,6.28) que, ao surgir uma dúvida qualquer relativa à doutrina, os Apóstolos e os anciãos se reuniam com toda a Igreja que estava em Jerusalém e, sob inspiração do Espírito Santo, deliberavam acerca da mesma, conforme a própria Escritura Sagrada testemunha naquela passagem, ao declarar: "Pareceu bem ao Espírito Santo e a nós" etc.

Deve-se pensar a mesma coisa e com toda verossimilhança a respeito do supradito Concílio Geral dos fiéis cristãos, porque ele representa a congregação dos mesmos. Daí, segundo está escrito no 28º e último capítulo do Evangelho de Mateus, Cristo, dirigindo-se aos Apóstolos, disse: "Eis que eu estarei convosco até a consumação dos tempos" (v. 20). Deve-se acreditar firmemente que Ele proferiu essas palavras referindo-se não apenas aos Apóstolos, porque sabia muito bem que iam morrer antes da consumação dos séculos, mas também aos sucessores deles e aos fiéis em geral.

XIII

1 – De acordo com nosso propósito inicial, falta discutir e examinar ainda alguns problemas ou questões. O primeiro é: por acaso um macho e uma fêmea da espécie humana, chamados cônjuges, ou um esposo e uma esposa, cuja união é, normalmente, denominada matrimônio, podem estar casados por outros motivos e virem a ser impedidos de permanecerem juntos por alguma autoridade? Esse casal uma vez unido pelo matrimônio, havendo alguns motivos, pode e deve separar-se? Quem possui a autoridade para fazer isso?

O segundo problema anexo a este é: Quem possui a autoridade para liberar ou dispensar de um grau de consanguinidade qualquer as pessoas impedidas de realizar um casamento lícito?

2 – Assim, principiando a elucidar essas nossas questões, é preciso ressaltar que, embora a união do macho com a fêmea seja natural na espécie humana e eles estejam naturalmente predispostos a uma junção recíproca, à semelhança dos outros animais, com vista não só a gerar e propagar sua espécie, conforme acabamos de dizer, como as demais coisas naturais, mas também a participar da imortalidade divina ou eternidade, segundo a maneira que lhes é possível, no entanto, considerando que o gênero humano vive de acordo com a arte e a razão, a já citada união dos cônjuges, desde que lícita, sob certas condições ou apresentando-se uma série de motivos, pode ser realizada ou ser dissolvida, pois foi instituída e assim permanece até hoje, graças a um bom número de regras ou estatutos e alguns costumes.

Mas como existem diversos tipos ou modalidades de leis ou estatutos, uns humanos outros divinos, sendo estes últimos normalmente chamados seitas ou religiões, por tal motivo é que a mencionada união foi e é regulamentada diversa e variavelmente.

Tratamos amplamente acerca dessas leis, das diferenças entre ambas, da maneira como podem ser definidas e por que, de conformidade com as mesmas, há preceitos positivos e negativos, estes últimos chamados proibições, e ainda as permissões que não se enquadram nas categorias dos preceitos, tanto no capítulo 12 da 2ª parte do *Defensor da paz* quanto no princípio desta obra.

No entanto, omitindo agora qualquer referência ou consideração a respeito da união do macho e da fêmea, chamada matrimônio, a partir das outras religiões ou seitas, é nosso propósito tratar daqueles problemas ou questões acima referidos, concernentes ao casamento, apenas conforme a seita ou religião cristã e acerca de sua regulamentação de acordo com as leis divina e humana, no âmbito da mesma. Com efeito, se os mesmos forem totalmente esclarecidos segundo esta religião, poderão ser resolvidos também analogamente nas outras seitas.

Por isso, resumindo nosso objetivo, em primeiro lugar convém examinar em que consiste o matrimônio de conformidade com o rito cristão e a opinião mais geral.

Na verdade, o casamento propriamente considerado é a união livre, não imposta, do macho e da fêmea, celebrada entre os membros da espécie humana com o consentimento expresso de ambos, manifesto através de palavras ou gestos que indicam tal decisão tomada livremente, e realizado numa idade adequada.

Reiteramos que o casamento é um ato a partir do consentimento mútuo que obriga os dois cônjuges a viver juntos e a se doar corporalmente, através do ato sexual, quando um deles for devidamente solicitado pelo outro a fazer isso, com vista à geração da prole e a acalmar os desejos carnais, e tal união deverá durar sem interrupção enquanto viverem.

Por isso, tendo descrito o matrimônio dessa maneira, devemos agora tratar do mesmo e das outras questões propostas anteriormente. (A partir da próxima oração, o texto do *Defensor menor* é quase *ad litteram* as palavras do tratado *Sobre a Jurisdição do Imperador em Questões Matrimoniais.* Cf. nota nº 1 da Introdução.)

Assim, com vista a chegar à certeza e obter uma grande evidência a respeito do que iremos dizer, convém de imediato salientar que os fiéis cristãos vivem e são governados por dúplice legislação, a divina e a humana.

3 – No entanto, a lei considerada propriamente é um preceito coercivo permitindo ou proibindo fazer determinadas ações e com a capacidade de infligir um castigo aos seus transgressores.

Mas a Lei Divina é um preceito coercivo estabelecido imediatamente por Deus, sem nenhuma participação humana, com o propósito de levar as criaturas humanas a alcançar o seu fim último na vida futura e capaz de infligir um castigo aos seus transgressores apenas na outra vida, não nesta. Ao contrário, a lei humana é um preceito coercivo, procedente de modo imediato da vontade ou decisão humana, com o propósito de se alcançar um objetivo neste mundo, cujos infratores serão castigados aqui na terra somente.

Segundo essas definições preliminares convém notar que, de acordo com as duas mencionadas leis, há algumas prescrições naturalmente afirmativas a respeito do que deve ser feito. Outras há, na verdade, que são negativas, concernentes ao que não se deve fazer ou omitir, denominadas proibições.

Há também permissões para se fazer ou não alguma coisa, as quais não se enquadram nas prescrições afirmativas ou negativas e que, no âmbito da Lei Divina, são denominadas conselhos. E as mencionadas permissões são mais gerais do que os preceitos, porque todo preceito permite que se faça algo, mas o contrário nem sempre. Igualmente ainda, algo que se proíbe fazer é permitido que não se faça, embora o contrário não possa vir a ser feito em todas as circunstâncias.

É oportuno estar atento, da mesma forma, para o seguinte: conforme a lei humana, observa-se que nos preceitos afirmativos há permissões e proibições, embora se distingam quanto à modalidade dos castigos, porque, segundo a Lei Divina, aqueles preceitos e proibições condenam os seus transgressores ao castigo eterno, e, de acordo com a lei humana, seus infratores recebem uma punição temporal neste mundo, não no outro.

Novamente deve-se ainda chamar a atenção para o seguinte aspecto: conforme as mencionadas leis, os termos interdições e preceitos podem ter duas acepções ou significados. Um deles, aplicado normalmente às referidas palavras, quer dizer a ação de ordenar algo ou uma ordem procedendo daquela pessoa que a estabelece. Tal ação é considerada ativamente.

O outro significado, referente aos termos em apreço, não consiste na ação de ordenar algo da parte de quem estabelece ou determina isto ou aquilo, mas especificamente na ação ou obra imposta ou estatuída a alguém. A mesma neste sentido é considerada passivamente. É desta maneira que usualmente se diz que um servo executou uma prescrição do seu senhor quando ele faz ou deixa de fazer o que lhe foi ordenado pelo seu senhor executar ou não executar, por exemplo, reter um cavalo, oferecer vinho a alguém ou outros serviços idênticos. Deste modo, o preceito ou a proibição significam ou denotam aquilo mesmo que foi ordenado, não a própria ordem ou ação de mandar considerada ativamente, porque não faz isto ou aquilo enquanto tal, pelo contrário foi o senhor que lhe ordenou fazer esta ou aquela tarefa.

4 – É preciso salientar, ainda, que os preceitos, quer afirmativos ou negativos, e as permissões acima denominadas conselhos, segundo a Lei Divina, são espirituais e assim se denominam, primeiramente em razão de haverem sido estabelecidos e concedidos imediatamente pelo Espírito Santo, de acordo com as palavras do bem-aventurado Ambrósio, glosando as palavras do Apóstolo, na 1ª Epístola aos Coríntios, capítulo 9: "A lei evangélica e a palavra de Deus, afirmo, são espirituais, talvez ainda o sejam os dons ou graças do Espírito Santo produzidas e infusas nas almas dos fiéis cristãos, graças às palavras evangélicas" (MIGNE, PL CXCI, 1609 B. – N.T. Trata-se de um comentário anônimo ao texto de São Paulo, atribuído na época a Santo Ambrósio).

Em segundo lugar, alguns preceitos são denominados espirituais porque foram estabelecidos e transmitidos para vivificar o espírito ou alma com vista a se poder alcançar a vida eterna. Estes são os preceitos ou proibições da Lei Divina tomados no sentido ativo.

Entretanto, algumas outras coisas não são em si mesmas espirituais, mas assumiram tal conotação porque foram e são estabelecidas pelos homens com vista a fazer ou ministrar as mencionadas coisas espirituais. Tal é o caso das pessoas ou dos corpos dos sacerdotes e assim também a casa de oração, denominada igreja, e, num certo significado atribuído àquele termo, os vasos, os paramentos, os livros e outros objetos estabelecidos pelos homens com vista à celebração do culto divino. Também ocorre a mesma coisa no tocante aos jejuns, às esmolas e algumas obras ou ações humanas referentes às coisas divinas ou espirituais e acerca ou por causa das mesmas, que os sacerdotes fazem ou ordenam que se faça. Como tudo isso é por demais conhecido, omitem-se os exemplos a fim de resumir o presente assunto.

5 – Segundo a lei humana, ainda há analogamente (preceitos), proibições e permissões tomados num sentido ativo e outras ações ordenadas. Todos eles denominam-se temporais porque foram imediatamente estabelecidos e ordenados pelos seres humanos e ainda porque se referem à vida aqui neste mundo e com o fluir do tempo caducam e prescrevem.

Além disso é conveniente salientar que, embora os preceitos, proibições e conselhos, de acordo com a Lei Divina, considerada ativamente, sejam diferentes dos preceitos da lei humana, porque foram estabelecidos e ordenados por legisladores distintos, e com finalidades diversas, e aos seus infratores são infligidos castigos diferentes de forma variada e em lugares específicos, entretanto, as pessoas e suas ações e obras feitas ou não, às quais se prescreve ou se ordena isso ou aquilo, podem (ser) e são as mesmas em quase todas as circunstâncias, ou pelo menos na maior parte delas. Por exemplo: não furtar, não roubar, não fraudar, não levantar falso testemunho e outros atos idênticos que tanto a Lei Divina quanto a humana proíbem que se faça.

6 – O mesmo critério se aplica também aos preceitos afirmativos, como restituir algo que foi tomado de empréstimo ou saldar as dívidas.

Ademais, considerando que as pessoas podem ser as mesmas e suas ações parecidas a quem e a respeito das quais as duas leis prescrevem algo no âmbito secular e no espiritual, tais prescrições podem ser também idênticas. Efetivamente, no que se refere às coisas temporais e sobre as mesmas, tanto os sacerdotes ou bispos, os diáconos e outros ministros eclesiásticos, consagrados, como os não consagrados, denominados leigos ou seculares, poderão fazer ou não uma ação lícita ou ilícita conforme os preceitos das leis divina e humana ou contra eles. Por isso é justo punir ou corrigir, neste e no outro mundo, castigando os infratores que cometem os crimes acima referidos como exemplos.

O mesmo procedimento deve-se adotar quanto às coisas espirituais, não importa o sentido que se atribua à palavra. Aquelas pessoas ao agir podem fazer ou não fazer algo lícito ou ilícito, por exemplo, pregar ou ensinar heresias, batizar determinados irracionais, sacrificar aos demônios como fazem os celerados adivinhos. Podem ainda cometer outros crimes, tais como roubar livros, vasos, paramentos e demais objetos litúrgicos, materiais destinados ao culto divino e, inclusive, praticar outras ações dessa espécie. Por isso é justo que tais pessoas venham a ser castigadas neste e no outro mundo, infligindo-lhes castigos pessoais e concretos, conforme estatuem as leis divina e humana, embora os juízes, os castigos e as ocasiões sejam distintos, conforme já se falou e tornaremos a falar mais abaixo com maior precisão.

Ainda é importante advertir que, se a Lei Divina prescreve fazer ou não fazer algo que a lei humana não determina fazer ou omitir, mas, ao contrário, prescreve ou permite o oposto, deve observar-se antes o preceito da Lei Divina e recusar ou abandonar a lei humana e seu preceito ou permissão contrária, porque o preceito da Lei Divina contém uma verdade infalível, enquanto o mesmo não acontece com o da lei humana.

7 – Ademais, porque o preceito divino condiciona seu infrator a incorrer num castigo eterno, enquanto o humano sujeita-o à punição temporal ou finita, a qual o ser humano não precisa recear tanto quanto o primeiro.

É por isso que se deve ter em mente que as duas leis possuem cada uma um legislador e um juiz próprio e imediato, conforme dissemos mais acima, mas apenas um deles é o Mestre e quem sabe talvez se ocupe também com algo mais, segundo podemos constatar nas outras atividades, conforme escreveu aquele notável filósofo chamado Aristóteles: "Cada qual julga bem as coisas que conhece e dessas coisas ele é um bom juiz" (*Ética*, 1, 3), tal é o caso do médico no tocante aos doentes e sadios.

Efetivamente o outro juiz é denominado apropriadamente governante, a quem foram confiados e transmitidos não apenas a autoridade, mas também o poder coercivo para castigar os transgressores das leis, infligindo-lhes punições.

Segundo a lei humana este é, pois, o juiz a respeito de quem o Apóstolo declara: "Não é à toa que ele traz a espada", quer dizer, exerce e detém o poder coercivo e armado, "porque é um ministro de Deus para fazer justiça e castigar quem pratica o mal" (Rm 13,4), daí não haver um doutor das leis humanas. Mas de acordo com a Lei Divina há também um juiz detentor do poder coercivo. É sobre Ele que Tiago em sua Epístola canônica afirma: "Só há um juiz e legislador. Aquele que pode salvar e destruir" (Tg 4,12), isto é, Cristo.

8 – Isso posto como verdade por demais conhecida, é preciso acrescentar ainda o seguinte: segundo a Lei Divina, conforme as palavras de Tiago acima transcritas, e de acordo com a mesma, Cristo é o legislador e juiz coercivo. Ele outorgou a Lei Divina ou o Novo Testamento, através da pregação, tanto dos Apóstolos, quanto de alguns outros santos doutores. Daí, o Apóstolo afirmar: "Buscais, pois, uma prova de que Cristo é que fala em mim?" (2Cor 13,3). E São Pedro em sua Epístola canônica declara: "A profecia jamais ocorreu graças à vontade humana, mas pessoas inspiradas pelo Espírito Santo falaram em nome de Deus" (2Pd 1,21). Este Legislador, no entanto, estabeleceu, de acordo com sua Lei, que os seus infratores virão a ser julgados e punidos somente no outro mundo, não neste. Daí a Escritura dizer: "Quando o Filho do Homem se assentar no seu trono de glória, também vós sentareis em doze tronos e julgareis as doze tribos de Israel" (Mt 19,28), o que deverá ocorrer na outra vida, segundo a Bíblia fala claramente e o fazem também todos os santos que a comentaram.

9 – Há também, segundo a Lei Divina, outros juízes e nada impede que sejam muitos na situação da vida presente, chamados mestres, e, de acordo com a referida Lei, ministros e agentes de algumas ações ou obras. No entanto, eles não receberam de Cristo, através da Lei Divina, nenhuma autoridade ou poder coercivo para castigar qualquer pessoa neste mundo infligindo-lhe um castigo pessoal e concreto, em razão de ter feito ou não isto ou aquilo. É por esse motivo que Jesus Cristo, no último capítulo do Evangelho de Mateus, chamou tais juízes de mestres, dirigindo-se aos Apóstolos: "Ide, pois, e ensinai todos os povos e batizai-os" (28,19) etc. Alusão semelhante encontramos também no profeta Malaquias: "Os lábios dos sacerdotes conservam a Escritura e através de sua boca ensinaram a lei" (Ml 2,7). Estes juízes denominados mestres são os bispos ou presbíteros.

Entretanto, eles não possuem nem devem possuir a autoridade e o poder coercivo para castigar outrem, impondo-lhe uma pena, conforme dissemos acima, porque Jesus Cristo, assumindo nossa humanidade, enquanto viveu neste mundo, não quis pessoalmente exercê-los. Daí ter afirmado: "Meu reino não é deste mundo", eis a demonstração quanto à autoridade; "se meu reino fosse deste mundo ordenaria a meus servidores combaterem" (Jo 18,36), eis a prova no tocante ao poder armado ou coercivo. E ainda, noutra ocasião, dirigindo-se a uma pessoa que lhe pedia repartisse uma herança entre ela e seu irmão, o próprio Cristo disse claramente a mesma coisa: "Quem me constituiu juiz ou árbitro sobre vós?" (Lc 12,14), quer dizer, entre ti e o teu irmão, como se desejasse afirmar: não me convém exercer tal espécie de julgamento.

Por isso Ele também quis que os Apóstolos e os seus sucessores, nomeadamente os bispos ou sacerdotes, não possuíssem e exercessem a autoridade e o poder coercivos, quanto ao seu sacerdócio exercido aqui na terra, pois no tocante à divindade nenhum dentre os mortais o sucedeu ou poderá vir a fazê-lo. Daí ter-lhes falado: "Os governantes das nações as dominam, entre vós não deverá ser assim" (Lc 22,25-26). "É óbvio que lhes proibiu de exercer qualquer espécie de governo" (*De Consideratione* II, 6, MIGNE, PL CLXXII, 748 B), conforme diz Bernardo e todos os outros santos e doutores considerados como tais, os quais, em consenso, entenderam e comentaram a Sagrada Escritura dessa forma, expressando seus pontos de vista com opiniões próprias. Ainda com referência a essa questão, o Apóstolo, ciente disso, falando acerca dos dons espirituais não reivindicou para si qualquer poder com o intuito de castigar a outrem e muito menos também no que se refere às coisas temporais, daí ele ter falado aos Coríntios: "Não tencionamos dominar vossa fé" (2Cor 1,24).

A respeito dessa frase tanto Ambrósio quanto Crisóstomo têm uma opinião concorde, e afirmam isso claramente. Ambrósio efetivamente declara: "Não tencionamos dominar vossa fé, significa que a mesma não deve sofrer coação ou dominação, pois se trata de uma escolha da vontade, não de uma imposição" [N.T. Esta citação atribuída a Santo Ambrósio é, na verdade, de um autor anônimo e se encontra em PL CXCII, 17A.]

Crisóstomo afirma: "É mais vantajoso para a Igreja que os convertidos o sejam através da aquiescência e não por meio da coação. Que homem admirável aquele, indubitavelmente o Apóstolo que, ciente disso, falava aos Coríntios: não tencionamos dominar vossa fé!" E Crisóstomo ainda acrescenta: "De fato essa autoridade não nos foi dada pelas leis - a nós bispos ou presbíteros - a fim de que graças ao temor do castigo impeçamos os homens de cometer delitos. Mesmo que ela nos tivesse sido dada, não teríamos onde exercer um poder semelhante, pois nosso Deus-Cristo, naturalmente, atraiu para si os pecadores, não pela força", quer dizer, rigor, "mas cativou-os pela espontânea vontade dos mesmos e recompensará os que agirem dessa forma" (*De Sacerdotio,* II, 3).

Crisóstomo pressupõe ainda, considerando suas palavras, que todo poder coercivo exercido neste mundo pelos governantes é concedido pelas leis ou pelos príncipes. É o que Hugo de São Vítor também fala no 2º Livro *Sobre os Sacramentos:* "É lícito que a Igreja, isto é, os eclesiásticos, bispos ou sacerdotes exerçam jurisdições coercivas, mas por intermédio dos leigos, contudo estes devem saber que o possuem graças à concessão do poder régio" (*De Sacramentis* II, 2ª parte, 7, MIGNE, PL CLXXVI, 420 B-C). Portanto, não é por força da Lei Divina, mas da humana, que cabe a toda pessoa possuir autoridade e exercer o poder coercivo neste mundo, especialmente, um bispo ou sacerdote.

Daí Crisóstomo, após ter dito aquelas palavras citadas acima, acrescentar: "Se uma pessoa se afastar da verdadeira fé, o sacerdote precisará de muito mais paciência, zelo e capacidade de exortação, pois ele não poderá pela força reconduzir à fé aquele que erra, mas deve conclamá-lo por todos os meios a retornar ao bom caminho de que se afastou no princípio". É o que pensaram todos os santos intérpretes e doutores da Escritura Sagrada, cujas citações omitimos no propósito de resumir, mas poderão ser amplamente encontradas, por quem quiser, tanto no *Defensor da paz* quanto nesta obra, mais acima.

Igualmente, conforme a lei humana há também um legislador que é o conjunto dos cidadãos, ou sua parte mais relevante, ou ainda, o supremo Príncipe dos romanos, chamado imperador. E ainda, conforme tal lei, há um juiz detentor do poder coercivo, função essa que pode ser exercida pelo mencionado conjunto dos cidadãos, ou pelo Príncipe, ou por aquelas pessoas a quem ou às quais os cidadãos em conjunto ou o Príncipe delegaram tal incumbência, com vista a castigar neste mundo os transgressores da lei humana, por meio de uma punição pessoal e concreta.

Por isso, efetivamente, os bispos ou presbíteros e demais ministros espirituais, em conjunto ou individualmente, enquanto tais, não podem ser o legislador humano, talvez o sejam enquanto se constituem num grupo social da cidade. Isso foi claramente demonstrado, graças não apenas a argumentos verdadeiros, mas também por meio das palavras da Escritura Sagrada, citadas no *Defensor da paz*, tanto na 1ª parte, capítulos 12 e 13, quanto na 2ª, capítulos 4 e 5, e ainda através dos raciocínios comprobatórios apresentados anteriormente.

10 – De acordo com a lei humana há também outros juízes chamados jurisconsultos ou mestres em direito. Enquanto tal, não possuem neste mundo qualquer poder coercivo capaz de obrigar alguém a fazer algo lícito ou não fazer algo ilícito, em razão de lhe poder infligir um castigo pessoal e concreto. Sua tarefa consiste exclusivamente em ensinar as

pessoas a agir conforme a lei humana, da mesma forma que os bispos ou presbíteros o fazem, segundo a Lei Divina.

A fim de que se examine essas questões de maneira mais clara, convém notar que pode surgir uma dúplice dificuldade relativa às ações ou obras humanas, tanto no âmbito divino e acerca das coisas que lhe respeitam, quanto na esfera do temporal e acerca das coisas seculares. Assim apresentamos questões ou problemas com vista a resolver as referidas dificuldades.

XIV

1 – Uma das dificuldades e questão é a seguinte: será que aqueles atos ou obras, objeto de nossa indagação, que devem ser feitos na condição de preceitos ou não devem sê-lo enquanto proibições, são lícitos ou ilícitos não apenas conforme a Lei Divina, mas também segundo a lei humana?

Na verdade, a outra indagação, pergunta ou interrogação assenta-se no que foi dito anteriormente: por acaso tais obras ou ações podem ser feitas ou não por qualquer pessoa?

2 – Quanto à primeira questão, pergunta ou indagação, cabe seguramente aos mestres ou juízes doutrinais responder e julgar ou definir, através de uma sentença daquela espécie mencionada, contanto que tenham competência para fazê-lo. Ora, segundo a Lei Divina, tais pessoas são, ou melhor, devem ser, todos os bispos ou presbíteros, conforme já foi exposto, e ainda de acordo com o que disse o Apóstolo, dirigindo-se a Timóteo: "É preciso que o bispo seja mestre competente" (1Tm 3,2).

Mas conforme a lei humana, esta autoridade ou capacidade para julgar compete aos jurisconsultos ou mestres da lei humana. De fato, o seu encargo consiste em saber ensinar, e, se for oportuno, dizer quais são os atos humanos lícitos e os ilícitos, e quais são os preceitos permitidos ou interditos, conforme as leis citadas e, ainda, responder quando forem inquiridos sobre e a respeito de tais atos. Contudo, não têm a autoridade e o poder coercivo para obrigar a qualquer pessoa, no estado atual da vida presente, a fazer algo ou não, conforme demonstramos acima de maneira suficiente. Assim, também, os médicos devem ensinar, conforme os preceitos da arte e da ciência médica, o que se deve fazer ou omitir para conservar ou recuperar a saúde do corpo. Não podem, todavia, obrigar ninguém a seguir uma dieta benéfica ou a evitar uma prejudicial, determinando isso graças a um castigo pessoal e concreto. Igualmente os sacerdotes, os médicos da alma, neste mundo, conforme as palavras da Escritura, não podem ameaçar ninguém com um castigo.

Entretanto, é lícito aos sacerdotes estabelecer e proceder a admoestações, ou fazer exortações acerca dos bons costumes e das ações que se devem praticar, e sobre os maus costumes e crimes que devem ser evitados. No entanto, essas admoestações proferidas, aqui e agora, não podem ser denominadas leis. Quando muito, e preferivelmente, deverão ser consideradas como regras ou avisos. Por esse motivo, os seus julgamentos, pronunciados graças a tais regras, a respeito dos atos humanos, não devem ser chamados de foro ou judicatura, porque esses termos, se corretamente usados, se referem à aplicação de um julgamento coercivo, de acordo com a primeira e adequada acepção dos mesmos.

3 – Ora, tal julgamento, enquanto se revestir de um caráter geral, pode ser proferido mesmo que se ignore quem são as pessoas, cujas ações sejam objeto de uma dificuldade ou discussão.

Mas há uma segunda questão, dificuldade ou interrogação, que pode ocorrer no tocante aos atos e obras humanas, quando se indaga se compete ao Príncipe ou ao juiz coercivo julgar se os mesmos vierem a ser feitos ou não por qualquer pessoa, visto que detém a autoridade para punir com um castigo pessoal e concreto, neste e no outro mundo, os transgressores das leis.

4 – Segundo a Lei Divina o juiz com competência para castigar na vida futura apenas é Cristo somente, e talvez o sejam com Ele os doze Apóstolos, a respeito de quem se lê na Escritura: "Quando o Filho do Homem se assentar no seu trono de glória, também vós vos sentareis em doze tronos para julgar as doze tribos de Israel" (Mt 19,28).

Mas segundo a lei humana, ao contrário, o mencionado juiz é o Príncipe, graças à autoridade do legislador humano. Ele detém o poder coercivo para castigar, por meio de uma punição pessoal e concreta neste mundo apenas, não no outro, os transgressores da lei humana.

Mas o Juiz, conforme a Lei Divina, para exercer seu julgamento coercivo não necessita de depoimentos para chegar à verdade, nem de constranger as testemunhas para que digam a verdade em juízo "porque todas as coisas são visíveis e patentes aos olhos daquele que vê tudo" (Hb 4,13), e tampouco precisa da espada, ou do poder coercivo de ministros armados, com vista a executar sua sentença, castigando com uma pena os transgressores de tal Lei, pois "Ele disse: faça-se e tudo foi criado" (Sl 32,9).

Todavia, a mesma coisa não acontece com o príncipe ou governante, detentor do poder coercivo, porque ele poderá ignorar se uma pessoa, denunciada por haver cometido um ato ilícito ou acusada de o haver cometido, fez tal coisa ou não. Por esse motivo, deve convocar ao tribunal tanto os litigantes como as testemunhas, e aos que se negarem a fazê-lo, deverá compeli-los pela força das armas, pois eles não viriam, principalmente os acusados, sem dúvida alguma, apenas devido à intimação, e aqueles que receariam merecer um castigo.

XV

1 – Portanto, o que já expusemos dá um indício quanto à resposta concernente ao quesito principal, isto é, a que juiz compete o poder de sentenciar a respeito de uma separação matrimonial solicitada por um ou outro dos esposos ou pelos dois em conjunto, pois se acontecer que haja uma dúvida ou se alguém interpelar se o mencionado casamento é ilícito ou proibido pela Lei Divina por alguma razão qualquer, compete à autoridade dos bispos ou presbíteros e dos mestres na Lei Divina julgá-lo, bem como o dever de responder a tal indagação, considerando que foram instituídos para solucionar casos dessa espécie, de acordo com uma lei ou um costume honesto do país que não se opõe absolutamente à Lei Divina. Com efeito, compete-lhes conhecer os preceitos, proibições e as permissões relativas não apenas ao matrimônio, mas também a todos os atos e obras humanas e ainda a natureza e as modalidades

a respeito de tudo que deve licitamente ser feito ou não, de acordo com a mencionada lei.

Mas se houver uma dúvida e lhes indagarem se a impotência de um dos cônjuges, tendo em vista o não cumprimento do dever matrimonial em relação ao outro, é motivo relevante para haver uma dissolução matrimonial lícita entre os mesmos, conforme a Lei Divina, neste caso os citados ministros e mestres na Sagrada Escritura deverão opinar e julgar sobre o problema, pois, conforme dissemos, tal encargo lhes compete. Se por acaso não vierem a fazê-lo, serão punidos no outro mundo apenas, não neste, pelo Supremo Juiz coercivo. Daí o Apóstolo afirmar: "Ai de mim se eu não anunciar o Evangelho que me foi confiado" (1Cor 9,16).

2 - Mas se por acaso houver uma dúvida, e se indagar se tal deficiência, em consequência da qual é justo e lícito realizar o divórcio, existe da parte de um dos cônjuges e se afirme efetivamente que há mesmo, e que por esse motivo o cônjuge que não sofre desse defeito quer se separar do outro que padece da impotência e requer o divórcio, quanto a esse problema, o poder e o julgamento coercivo, segundo a Lei Divina, compete a Cristo ou ao próprio Deus, com vista a castigar o esposo desonesto, no outro mundo, não neste.

Inclusive, é provável acontecer, por exemplo, que o cônjuge honesto venha a ser impedido de agir livremente pelo outro, o qual poderá cometer atos de violência contra a pessoa e os bens do primeiro. Quanto a essa questão, Aquele Juiz não necessita de ser informado por testemunhas a fim de saber se tal deficiência realmente existe da parte de um dos cônjuges, em razão da qual a sentença de separação deve ser proferida, porque nada está escondido perante os seus olhos, conforme dissemos anteriormente.

3 - Todavia, segundo a lei humana compete à autoridade do governante, em nome do legislador humano, proferir a sentença coerciva de separação, e punir neste mundo os transgressores com um castigo. Conquanto não caiba ao legislador humano ou ao seu juiz estatuir ou legislar sobre assuntos ou coisas espirituais ou sobre os preceitos divinos, interdições ou prescrições ou conselhos, todavia, compete-lhe julgar por meio de uma sentença coerciva a respeito e sobre os atos humanos referentes às coisas lícitas ou ilícitas feitas ou omitidas, tanto pelos sacerdotes ou outros ministros que atuam no âmbito espiritual quanto pelos leigos ou seculares (desde que tais atos não sejam essencialmente espirituais) e punir com um castigo temporal, nesta existência, aquelas pessoas que cometem ações ilícitas.

Daí o Apóstolo, dirigindo-se aos romanos, no capítulo 13º de sua carta, ensinar a todos sem exceção, sejam malfeitores ou desrespeitadores da lei humana, assim como transgressores da Lei Divina, não importa se leigos ou sacerdotes: "Toda pessoa se submeta às autoridades constituídas" (13,1). Naturalmente, ele se referia aos reis, aos governantes ou ainda aos tribunos, de acordo com os comentários dos santos feitos à passagem. Ele acrescenta o seguinte: "Aquele que se revolta contra a autoridade opõe-se à ordem estabelecida por Deus e os que assim procedem atrairão sobre si a condenação" (13,2), certamente a eterna. O Apóstolo completa o seu pensamento, dizendo: "Ele é, pois, instrumento de Deus para fazer justiça e punir quem pratica o mal", digase de passagem, a quem quer que seja. "Não é à toa que ela traz a espada" (13,4), quer dizer, detém o poder coercivo e armado. Ora, o Apóstolo não estava se referindo a nenhum ministro espiritual, ao contrário, destacou isso enfaticamente ao declarar: "As armas com que combatemos não são materiais" (2Cor 10,4). E novamente, dirigindo-se a Timóteo, afirmou: "Ninguém engajando-se no exército de Deus se deixe envolver nas questões seculares" (2Tm 2,4), isto é, civis e litigiosas. O que foi dito acima, também é corroborado pelo bem-aventurado Pedro em sua Epístola canônica, ao dirigir-se a todas as pessoas, indistintamente, sem excluir ninguém: "Sujeitai-vos a todas as instituições humanas por causa de Deus", naturalmente as estabelecidas no poder, "seja ao rei como soberano, seja aos governadores como seus enviados, para o castigo dos malfeitores e para o louvor dos que fazem o bem, pois esta é a vontade de Deus" (1Pd 2,13-14).

Portanto, de certa forma, quanto ao matrimônio e demais questões espirituais, sob determinado aspecto, ou ainda quanto às ações humanas sobre e a respeito delas, em algumas circunstâncias, os estatutos da lei humana feitos acerca das mesmas relacionam-se com elas todas. Tais estatutos, desde que não contrariem a Lei Divina, mas ao contrário estejam em perfeita consonância com ela e sejam decentes, podem ser estabelecidos pelo legislador e o juiz secular, detentor do poder coercivo, é competente para julgá-los, principalmente se a necessidade assim o exigir.

Por conseguinte, no tocante a um matrimônio já celebrado ou que possa vir a sê-lo, ocorrem inúmeras coisas que, através das ações humanas, podem ser feitas, em razão de serem lícitas, ou devem ser omitidas, porque são ilícitas.

É conveniente que o legislador humano regule tais ações ou que, por sua autoridade e intermédio, o juiz detentor do poder coercitivo puna os transgressores com um castigo.

Ora, se porventura ocorrer um caso daquela espécie, deverá ser levado em conta. Por exemplo, se um dos cônjuges, após a sentença de divórcio haver sido proferida, não quiser separar-se do outro, mas pelo contrário tencionar retê-lo junto a si, usando a força, ou apropriar-se da sua pessoa ou de seus bens ou pertences, como se ainda estivesse casado ou a separação ainda não tivesse sido decretada pela sentença de divórcio, tal cônjuge deverá ser coagido e punido, neste mundo, com um severo castigo pessoal, pelo juiz detentor do poder coercitivo, em razão de haver transgredido a sentença ou o que foi julgado.

Com efeito, antes de se divorciarem, um marido poderia se arrogar o direito de exercer algum controle sobre a pessoa de sua mulher ou sobre seus bens. Entretanto, após o divórcio tais ações não têm mais cabimento. Por exemplo, não lhe seria permitido acusar o mencionado cônjuge de quem está separado; increpá-la e ofendê-la com palavras injuriosas; exigir dela que observe compromissos maritais; ou entreter-se corporalmente com ela de outra forma diferente da habitual, tocando-a impudicamente ou até mesmo espancando-a; ou ainda, querendo controlar seus bens recebidos em dote ou outros além destes, violando o que prescreve o direito, ou fazer outras coisas semelhantes. Se tudo viesse a acontecer posteriormente ao divórcio estariam ocorrendo inúmeros escândalos perigosos.

No propósito de se evitar ou coibir tais atos, bem como em razão da utilidade comum e evidente, ou melhor, por necessidade, não só competiria e seria da alçada, mas é da competência e obrigação do legislador humano estatuir e julgar a respeito de tais atos, determinando o que pode ser feito e o que deve ser evitado, e naturalmente compelir os litigantes a virem ao tribunal, e igualmente convocar as testemunhas, obrigando-as a falarem a verdade, e ainda ameaçar punir os transgressores com um castigo neste mundo, se por acaso não comparecerem em juízo, e promulgar ou não o resto que deve ser feito no tocante à sentença definitiva de separação matrimonial.

Entretanto, o legislador humano, ao proferir a sua sentença quanto a esse assunto, não poderá absolutamente contrariar a Lei Divina em seus preceitos ou interdições. Além disso, deverá compelir os litigantes ou desafetos a observarem e cumprirem o que foi julgado, sob pena de o mesmo infligir um castigo neste mundo ao cônjuge transgressor da sentença.

Na verdade, a Lei Divina não estatuiu ou ordenou algo referente ao que foi dito acima, quanto a regular ou corrigir os transgressores, infligindo-lhes um castigo neste mundo. Nem o Juiz coercivo, segundo a mesma Lei, ordenou algo a respeito, ou quis exercer um julgamento coercivo, por si próprio ou por intermédio de algum sucessor, nomeadamente um bispo ou um presbítero ou ainda qualquer outro ministro espiritual em conjunto ou separadamente, aqui na terra, contra seus infratores.

4 – Apesar do que foi dito acima, não se pode inferir coerentemente que a Lei Divina ou seu Legislador estejam subordinados à lei humana. Acontece justamente o contrário, pois o legislador humano ordena fazer o que foi estabelecido pelo Supre-

mo Legislador ou pela Lei Divina e seu Juiz coercivo, o Cristo, e, como é evidente, não o contrário.

Contudo, o legislador humano prescreve e pode legalmente prescrever, bem como o juiz, graças à sua autoridade, ou o Príncipe que detém o poder coercivo aos ministros da Lei Divina e a todos os leigos não fazer nada de ilícito no que se refere às questões espirituais ou a seu respeito e tampouco aos assuntos seculares ou acerca dos mesmos, e determinar aos ministros que executem as tarefas lícitas de que foram incumbidos no tocante a tais assuntos, e com razão poderá vir a puni-los com um castigo pessoal e concreto, se vierem a transgredir as determinações da lei humana desde que não sejam contrárias aos preceitos da Lei Divina.

Realmente, em face do encargo que lhes foi confiado, segundo estabelecem os preceitos das leis divina e humana, os bispos ou presbíteros têm o dever de pregar, ensinar e ministrar os dons espirituais, como o batismo e outros, aos fiéis cristãos. Por isso, efetivamente os bens materiais ou corporais lhes são fornecidos pelos crentes. Daí Cristo afirmar: "O operário é digno de seu sustento" (Mt 10,10), e o Apóstolo declara na 1ª Carta aos Coríntios, capítulo 9: "Se distribuímos os bens espirituais em vosso favor, será excessivo que colhamos vossos bens materiais, isto é, temporais? (1Cor 9,11).

Considerando, pois, que eles são como operários, os quais são sustentados ou recebem um pagamento, devem por isso e estão obrigados a ensinar e a distribuir os dons espirituais no momento e da maneira correta e, se porventura não vierem a fazê-lo, poderão vir a ser punidos neste mundo com um castigo pelo juiz coercivo humano.

[N.T. A partir do próximo parágrafo os textos do *Defensor menor* e da Consulta deixam de ser idênticos. Esta última obra termina, apenas com alguns parágrafos a mais].

5 – Mas alguém poderá objetar o que dissemos alegando que as leis divina e humana não diferem entre si, considerando que a lei é um preceito coercivo ou um conjunto de tais preceitos. É indiscutível que os preceitos de ambas, tanto os negativos quanto os afirmativos, são idênticos, por exemplo, restituir o que foi tomado de empréstimo, saldar as dívidas, não furtar, não roubar e outras disposições semelhantes. Disso resulta que não há diferença alguma entre essas leis.

Nós redarguiremos, porém, afirmando que os preceitos daquelas leis considerados ativamente não são iguais, diferem em si, em razão de todas as modalidades causais, embora sejam bastante parecidos. Primeiramente, devido à causa eficiente. Deus é a causa eficiente imediata dos preceitos da Lei Divina, enquanto, ao contrário, o espírito humano ou sua decisão e vontade é a causa eficiente da lei humana.

Em segundo lugar, a causa final dos preceitos da Lei Divina é a obtenção pelos homens da felicidade eterna no outro mundo. A da lei humana é a consecução da tranquilidade neste mundo e uma beatitude finita. Em terceiro, no tocante à causa material dos preceitos da Lei Divina, os homens são a matéria próxima, enquanto suscetíveis à felicidade eterna, isto é, na medida em que se preparam para atingi-la, graças à fé cristã, à esperança, à caridade e às outras virtudes. Os homens são igualmente a matéria próxima dos preceitos da lei humana, enquanto estão ordenados e predispostos à vida em tranquilidade, ao poder e às outras coisas deste mundo.

Os mencionados preceitos de ambas as leis ainda diferem específica ou formalmente, embora aparentem ser idênticos quanto ao gênero, do mesmo modo que o movimento do céu e o movimento circular da mó. O primeiro deles é perpétuo, o outro não, e assim também a grandeza ou corporeidade celeste e aquela possuída pelos elementos corruptíveis e mistos, pois esta pode ser fracionada e aquela não, tendo-se em mente que são semelhantes ou do mesmo gênero, mas seus átomos, ao menos quanto à espécie, são formalmente distintos.

Alguém poderá rebater um outro ponto de nossa argumentação, dizendo que o Legislador divino estabeleceu um castigo de acordo com sua Lei e que o mesmo deve ser infligido neste mundo aos transgressores. Trata-se da excomunhão, castigo esse imposto com frequência aos pecadores neste mundo, por sua Ordem, devido a uma violação da Lei Divina.

6 – Quanto a nós responderemos, conforme já escrevemos anteriormente, nessa obra, dizendo que a excomunhão, enquanto significa uma privação da convivência social, consiste num castigo da lei humana, pois é uma espécie de exílio, implicando num castigo pessoal e concreto. A Lei Divina não estatui que ela seja imposta ao pecador.

Mas se, ao contrário, a excomunhão denota se afastar um pecador, quer dizer, evitando sua companhia, não se relacionando nem conversando com ele, especialmente naqueles assuntos relativos à fé cristã e ao culto divino, afirmamos que não se trata de um castigo pessoal e concreto, mas antes de uma certa execração e vergonha, mas ninguém, por força da Lei Divina, poderá vir a ser privado de seu líder, bem como de seus bens pessoais e concretos. De fato, a Lei Divina aconselha evitar a companhia de um pecador naqueles aspectos preditos, contudo não proíbe conviver ou se relacionar com ele, no âmbito da sociedade civil e dos negócios, por exemplo, comprar-lhe pão, vinho, carnes, peixes, cálices, roupas, se por acaso o pecador ou outros delinquentes possuírem com abundância tais bens e os fiéis precisarem adquiri-los.

É importante ainda pensar a respeito das outras atividades e benefícios que podem vir a ser obtidos dessas pessoas, considerando as funções ou encargos e serviços que as mesmas desempenham no interior da sociedade.

Com efeito, se fosse de outro modo, o castigo da excomunhão redundaria num prejuízo igual ou maior para os fiéis não delinquentes e na verdade essa não poderia ser a intenção, tanto da Lei Divina quanto de seu Autor. Ademais, talvez seja mais correto falar que evitar os excomungados é um conselho, não um preceito.

7 – Admitamos, porém, que evitar um delinquente, da maneira como falamos, seja um preceito da Escritura Sagrada, semelhante aos demais. Contudo não se trata de um preceito com vista a constranger alguém pessoalmente ou em seus bens, a desistir daquele relacionamento com um pecador, graças à ameaça de infligir-lhe neste mundo um castigo pessoal e concreto. É por esse motivo que por força da Lei Divina não foi concedida a ninguém a autoridade e o poder coercivo para castigar um pecador neste mundo da forma aludida,

nem tampouco aquelas pessoas que mantêm com ele qualquer relacionamento, principalmente o civil.

8 – Ademais, ainda que essa autoridade e poder coercivo tivessem sido concedidos a alguém neste mundo, graças à Lei Divina, é oportuno reiterar que não o seriam apenas aos presbíteros ou bispos e aos outros ministros espirituais, individual ou conjuntamente, antes pelo contrário lhes teriam sido vetados por conselho ou por preceito sendo de fato concedidos à Igreja, isto é, ao conjunto de pessoas que acreditam em Cristo, invocam o seu nome, os crentes que vivem no mesmo lugar ou região, onde habita o pecador que deve ser excomungado ou evitado por eles próprios. Daí, aquelas palavras de Jesus no Evangelho: "Se o teu irmão pecar contra ti" etc., quer dizer, só tu é que sabes, "se ele não quiser te ouvir e às testemunhas", isto é, se corrigir, "dize-o à Igreja, e se nem mesmo à Igreja der ouvidos", então, após o julgamento da Igreja, "que ele seja para ti como um gentio ou publicano" (Mt 18,15-17).

Aliás, não encontramos em passo algum da Escritura Sagrada, conforme provamos detalhadamente acima, que Jesus tenha falado: dize-o apenas ao sacerdote ou à sua corporação. Por esse motivo, o Apóstolo declara: "Evita o herege após a primeira e a segunda advertência" (Tt 3,10). De fato, ele não falou a Timóteo: pune-o e aprisiona-o, porque ele sabia muito bem que não competia à sua autoridade coagir qualquer pessoa, ameaçando-a com um castigo.

Na verdade, desde o tempo de Cristo até a época de Constantino I, imperador dos romanos, não consta que os hereges foram absolutamente castigados ou excluídos da convivência social.

Alguém ainda poderá contestar nossos argumentos, alegando que a lei humana contradiz a Lei Divina em muitos aspectos, pois esta prescreve fazer ou não fazer muitas coisas em que a primeira é omissa, por exemplo, a fornicação praticada entre os não casados, a usura e tudo o mais que a Lei Divina proíbe e a que a lei humana não faz alusão alguma.

9 – Nós responderemos que este ponto de vista não prova que há incompatibilidade entre as leis divina e humana, pois não há oposição entre Pedro correr e Tiago não correr. Entretanto, se a lei humana ordenasse fazer algo que a Lei Divina proíbe fazer, nesse caso, tais preceitos seriam incompatíveis, de modo que, segundo já dissemos anteriormente, temos a obrigação de obedecer ou acatar os preceitos da Lei Divina, não aqueles determinados pela lei humana.

Em razão do que foi dito, é oportuno, por conseguinte, examinar se o casamento é ou não algo espiritual, em consonância com a descrição que fizemos dele anteriormente.

Algumas pessoas julgam que sim, em razão de o Apóstolo, após se referir ao matrimônio, ter falado: “Isto é um grande sacramento, eu me refiro em Cristo e na Igreja” (Ef 5,32). Outras, porém, não pensam da mesma forma, pois, de acordo com aquela descrição do casamento apresentada mais acima, havia entre os pagãos um matrimônio verdadeiro, daí o Apóstolo ter afirmado: “Um marido pagão é santificado pela esposa cristã” (1Cor 7,14) e reciprocamente. Ademais é evidente que ocorre um casamento verdadeiro através das palavras proferidas pelos cônjuges, ambos leigos, sem, no entanto, acrescentar, ao que consta, algo de essencialmente espiritual ao mesmo.

10 – Quanto a nós, diremos que o sacramento, de conformidade com sua definição notória e habitual é ou denota um sinal de algo sagrado. Mas por vezes tal acepção se aplica ao efeito ou àquilo mesmo de que o sacramento é o sinal, conforme a primeira acepção proposta acima, de modo que esse conceito assume um segundo significado também conhecido, isto é, Deus produz algo, graças a uma determinada intervenção do ser humano, proferindo algumas palavras ou algo de material ou fazendo alguns gestos ou sinais propostos ou convencionados.

Considerado dessa forma, o sacramento, de modo particular o matrimônio, não é algo espiritual, mas talvez seja possível considerá-lo como tal, porque é um sinal ou representa uma coisa espiritual, da mesma forma que a urina ou um alimento são denominados sadios, não porque contenham a essência da sanidade, mas em razão de comprovarem ou indicarem e designarem a sanidade. Entretanto, atribuindo, num sentido amplo, a palavra sacramento a algo ou ao efeito que é produzido por Deus em razão daqueles sinais referidos anteriormente, os santos e os doutores da Lei cristã afirmam, consensualmente, que o matrimônio é uma coisa espiritual.

Portanto, o matrimônio não é essencialmente espiritual, embora, conforme a Lei cristã exclusivamente, seja o sinal de algo espiritual.

Quanto às palavras do Apóstolo acerca do matrimônio: "Isto é um grande sacramento" (Ef 5,32), convém notar que ele pretendia designar por sacramento aquele algo espiritual a que nos referimos anteriormente como efeito do mesmo. Ele não quis dizer isso a respeito do matrimônio, de acordo com a definição que propusemos sobre o mesmo um pouco mais acima, isto é, como algo alicerçado no consentimento mútuo dos cônjuges etc., mas sim que o casamento é um indício, da mesma forma como o descrevemos.

Pensamos efetivamente que esse algo sagrado é o sacerdócio. Aliás, isto é o que o Apóstolo acrescenta àquela citação: "Eu me refiro em Cristo e na Igreja", pois, segundo a opinião dos santos e doutores da Lei cristã, a união do macho e da fêmea no matrimônio significa ou representa a união de Cristo com a Igreja.

Esta união é, na verdade, a mesma que existe entre o Cristo e a fé cristã que Ele produz nas almas dos homens. Esta fé que Ele, na condição de esposo da Igreja, torna efetiva é indubitavelmente algo espiritual. Daí o Apóstolo afirmar: "Amai vossas esposas como o Cristo amou a Igreja" (Ef 5,25).

Contudo, pouco importa que o matrimônio seja ou não considerado como algo espiritual, o que interessa destacar é que não compete aos bispos ou presbíteros em comum ou separadamente proferir qualquer julgamento coercivo a respeito do mesmo. Cabe-lhes, de acordo com o que já explicamos anteriormente, emitir apenas um parecer de caráter doutrinal.

XVI

1 – Após isso tudo a que nos referimos, falta dizer algo a respeito de um problema relacionado com tais assuntos, que aliás nos foi proposto: por acaso um grau de afinidade qualquer, após a primeira geração, impede as pessoas de contraírem um casamento lícito? Tal impedimento estaria de-

terminado pela Lei Divina ou somente pela lei ou pelo legislador humano? Enfim, a quem, ou a quais pessoas compete remover esse impedimento e conceder uma dispensa às pessoas que, tendo esse grau de consanguinidade, desejam contrair matrimônio, e ainda liberá-las dos castigos em que incorreriam, se vierem a fazer isso?

2 – Quanto a nós, diremos que, segundo a Lei Mosaica ou Antiga, foram estabelecidos ou propostos alguns graus de consanguinidade impedindo a realização de um matrimônio lícito, mas os cristãos de modo algum têm a obrigação de observá-los, considerando principalmente que tais proibições não fazem parte da Lei de Cristo. Daí o Apóstolo ter declarado: "Mudado o sacerdócio necessariamente também se muda a Lei" (Hb 7,12) e ainda noutra passagem ele declara: "Agora estamos livres da Lei antiga, sirvamo-la em novidade de espírito" (Rm 7,6).

Ora, segundo a Lei cristã nenhum grau de afinidade, particularmente o que há entre irmãos e irmãs [N.T.: leia-se entre primos e primas], proíbe a realização de um casamento lícito. Daí [N.T.: a partir desta frase o texto do *Defensor menor* é idêntico ao da *Forma Dispensationis* sancionada por Ludovico IV em favor da aspiração de Ludovico de Brandemburgo, seu filho, e Margarida da Caríntia-Tirol] Agostinho no Livro XV, capítulo XVI da *Cidade de Deus*, tratando dos referidos graus de afinidade, afirma que a Lei Divina não veta parentes consanguíneos contraírem um matrimônio lícito e que a lei humana até aquela ocasião ainda não o havia proibido (MIGNE, PL XLI, 458).

Agostinho através dessas palavras externou dois pontos de vista. Um deles, justamente o mencionado por nós, qual seja, a Lei Divina não proíbe a realização de um casamento lícito entre pessoas afins. Ele manifestou igualmente uma segunda opinião, conforme a qual essa proibição relativa ao matrimônio entre consanguíneos provém de um ato alicerçado na autoridade do legislador humano ou de seu líder supremo, o Príncipe dos romanos.

Entretanto, a verdade nos obriga a admitir e a conceder que a faculdade para opinar sobre o citado assunto compete ao Bispo de Roma, chamado papa, juntamente com seu colégio de clérigos, denominados cardeais, pois ele afirma que está no âmbito de sua autoridade liberar um impedimento devido à consanguinidade, concedendo uma dispensa às pessoas afins que desejam contrair matrimônio, e de fato alguns Pontífices romanos outrora concederam muitas vezes a dispensa aludida com vista à realização de tais casamentos.

Todavia, se por força de um preceito da Lei Divina ou cristã o mencionado grau de consanguinidade impedisse a realização de um casamento lícito, nenhum ser humano e muito menos ainda um anjo do céu poderia removê-lo graças a uma dispensa qualquer. Esta opinião é corroborada pelas palavras de Cristo: "É mais fácil passar o céu e a terra do que um só traço cair da Lei" (Lc 16,17), ou quando Ele disse: "O céu e a terra passarão mas minhas palavras permanecerão eternamente" (Mt 24,35; Lc 21,33).

3 – Do que foi dito acima é notoriamente óbvio, e o Bispo de Roma não só é forçado a admitir, mas também ele próprio o confirma, que por força de um preceito da Lei Divina ou cristã um grau de consanguinidade não impede ninguém de contrair matrimônio. E se por acaso, não importa qual

seja, impedisse alguém de celebrar um matrimônio lícito, tal ato só poderia ou teria podido ser decretado através de um preceito ou estatuto da lei humana, de modo que conceder uma dispensa quanto ao cumprimento dos estatutos desta lei compete exclusivamente à autoridade do imperador ou do Príncipe dos romanos.

Não se pode objetar essa tese alegando que essa espécie de casamento é proibida pela Lei Divina porque se trata de um mau costume e por isso mesmo também é um pecado mortal, de modo que as pessoas que vierem a se casar, sendo parentes, estarão incorrendo na pena da condenação eterna; por conseguinte, nesse caso, compete exclusivamente à autoridade do ministro eclesiástico, bispo ou presbítero, conceder a mencionada dispensa.

Ora, esse argumento é na aparência retórico ou sofístico, pois acoberta a falsidade, não silogiza e não conduz a nenhuma conclusão. Acoberta a falsidade porque essa espécie de casamento não é um mau costume, tendo-se em mente que o Bispo de Roma, examinando os casos, sobretudo numa circunstância especial, autoriza que o casamento seja celebrado como lícito; ademais, tampouco é um mau costume falando genericamente, pois não pressupõe uma intenção pecaminosa, como o furto e demais crimes.

É por isso que matrimônios dessa espécie não são proibidos pela Lei Divina, conforme as palavras de Agostinho, e de resto não se pode elaborar um silogismo que leve à conclusão, segundo a qual é da competência de um bispo qualquer ou de um presbítero conceder uma dispensa com vista àquele objetivo, admitindo que sejam realmente proibidos pela Lei Divina e impliquem na pena da condenação eterna atribuída aos seus transgressores, pois, quanto a proibições dessa natureza, nenhum ser humano e muito menos um anjo do céu poderia dispensar, ordenar ou autorizar que matrimônios dessa espécie se tornassem lícitos, conforme estabelecemos anteriormente.

É por essa razão também que o Apóstolo, falando sobre o que foi dito acerca dos preceitos ou mandamentos da Sagrada Escritura, declara: "Se um anjo do céu vos anunciar um Evangelho diferente do que vos pregamos", quer dizer, contrário ao mesmo, "seja anátema" (Gl 1,8), e não é por outro motivo que o Evangelho anunciado por Paulo continha as proibições ou os preceitos divinos.

Ademais, a espécie de casamento em apreço não era considerada um mau costume, nem proibida pela Antiga Lei, embora segundo a mesma alguns casos às vezes foram tidos assim ou se tornaram pecados, apesar de absoluta e imediatamente não implicarem numa intenção pecaminosa, mas simplesmente pelo fato de serem proibidos pela referida Lei, da mesma forma que comer carne de porco e de animais não ruminantes. Daí por que essa espécie de matrimônio, que tinha sido proibida pela Lei Mosaica, acabou por se transformar em pecado, embora não fosse essencialmente um mal, nem um mau costume, semelhante ao furto, ao homicídio, ao falso testemunho e outras ações dessa natureza, as quais são proibidas pelas leis divina e humana porque são essencialmente más, contrárias aos bons costumes e implicam numa intenção pecaminosa.

4 – Tudo o que dissemos mostra claramente a toda pessoa não corrompida pela maldade ou pela ignorância ou ainda pelas duas, que a autori-

dade para dispensar e liberar de um impedimento de consanguinidade as pessoas afins que desejam se casar compete exclusivamente ao legislador humano [N.T.: a partir da próxima frase não há mais equivalência textual entre o *Defensor menor* e a *Forma Dispensationis*] ou àquele que governa, através de sua autoridade, e de forma alguma a um presbítero ou bispo, ainda que seja o de Roma, chamado papa, em conjunto ou individualmente, porque não são juntos ou isoladamente o legislador humano, ao menos enquanto se constituem numa parte da comunidade civil.

Ora, segundo o que permite ou determina a Lei Divina, legislar ou decretar leis coercivas neste mundo ou julgar as pessoas de conformidade com as mesmas, impondo-lhes aqui na terra fazer ou não fazer algo, decreto esse acompanhado de uma punição real e concreta, não compete à autoridade de um só bispo ou presbítero ou de outro ministro espiritual qualquer, ou apenas de sua corporação considerada individual ou separadamente, antes pelo contrário, tais coisas lhes foram proibidas através de um conselho ou preceito.

A autoridade para sancioná-las compete ao conjunto dos cidadãos ou ao supremo Príncipe, denominado Imperador dos romanos. Comprovam nossa tese argumentos humanos racionais fundamentados na verdade, a Sagrada Escritura ou Lei Divina Cristã, os comentários dos santos ao seu texto, bem como as histórias e as crônicas fidedignas. Demonstramo-lo claramente no *Defensor da paz*, 1ª parte, capítulos 12, 13, 15 e 17; 2ª parte, capítulos 4, 5, 8, 9, 10, 17, 19, 20, 28, 29, 30. Quem desejar certificar-se a respeito do que dissemos mais acima, poderá consultá-lo.

Aliás, todas as nossas teses e suas provas apresentadas neste tratado foram quase sempre retomadas e explicadas a partir do *Defensor da paz maior*, sendo, pois, deduções e conclusões necessariamente decorrentes do mesmo, por isso esta obra de agora em diante se chamará *Defensor menor*. Louvor a Deus.

Notas de rodapé

1. Ao fazermos um levantamento bibliográfico a respeito de Marsílio de Pádua, em língua portuguesa, encontramos apenas o artigo de Nicolas Boer intitulado "A Ideia de Soberania do Povo na Literatura do Fim da Idade Média", publicado no n. 14 da Revista de História, e o livro do Dr. José Galvão de Sousa (São Paulo, 1972): "O Totalitarismo nas Origens da Moderna Teoria do Estado". Por outro lado há inúmeras publicações em outros idiomas, entre as quais merecem destaque F. Battaglia: "M da Padova e la Filosofia Politica del Medio Evo"; A. Gewirth: "Marsilius of Padua: The Defender of Peace"; J. Quillet: "La Philosophie Politique de Marsile de Padoue"; Georges de Lagarde, in "La Naissance...", vol. II: "Marsile de Padoue ou le Premier Théoricien de l'Etat Laique".

2. Cf. op. cit., particularmente os capítulos 3º: De Aristóteles a Marsílio de Pádua; 5º: A Plenitude de poder; 7º: O Estado Totalitário.

3. Cf. J.A. Watt: "The Theory of Papal Monarchy in the Thirteenth Century", Traditio 14. O Autor esclarece muito bem tal concepção a partir de sua fundamentação teológico-jurídica formulada e desenvolvida pelos Decretistas e Decretalistas.

4. Cf. respectivamente Jo 18, na íntegra, em especial o versículo 11; Mt 28,18-20 e Mc 16,15-16.

5. Tal concepção apoiava-se basicamente no texto de Mateus 16,16-20. O termo compreende um conjunto de diretrizes políticas, cuja base de sustentação é a autoridade sacerdotal. As pessoas consagradas a Deus pelo Sacramento da Ordem exerceriam uma liderança ímpar sobre os demais membros da "Societas Christiana", visto desfrutarem de uma superioridade no plano ético-religioso em virtude de sua própria missão salvífica. Por tal motivo preferimos o termo "hierocrático" ao invés de "teocrático" usado por muitos autores a fim de explicar essa concepção. W. Ullmann na obra "Principios de Gobierno y Política en la Edad Media" e Marcel Prelot em "As Doutrinas Políticas", vol. I, esclarecem muito bem a diferença entre os dois conceitos e a essência dessa teoria.

6. Apud LAGARDE. Op. cit., p. 12.

7. Apud QUILLET. Op. cit., p. 12.

8. Idem, p. 17.

9. Apud BOER, N. In: art. cit., p. 354: "...Na aurora da Renascença, isto é, na renovação dos antigos valores romanos culturais, começou a restauração vitoriosa do direito romano pelo fim do século XI nas escolas de Direito Romano fundadas em Roma, Ravena, Pádua e Bolonha. A Faculdade de Direito Romano de Bolonha tornou-se a mais célebre universidade da Idade Média. Nela ensinaram, nos séculos XI e XII, famosos Juristas como Irnerius, Bulgarus, Azo e Hugolinus que, glosando as Pandecta e os Digesta, fecundavam o Direito Canônico com pontos de vista do Direito Romano".

10. Cf. a obra "Dialogus inter Clericum et Militem" escrita por um autor anônimo e editada por M. Goldast in "Monarchia Sancti Romani Imperii", vol. I, p. 13-18.

11. Cf. o trabalho recente e substancioso do prof. Dr. Nachman Paibel da Universidade de São Paulo intitulado: "A Luta dos Espirituais e a sua Contribuição para a Reformulação da Teoria Tradicional acerca do Poder Papal".

12. Os Espirituais Franciscanos foram primeiramente condenados pelo papa João XXII através das bulas "Quorundam Exigit" (7-10-1317), "Sancta Romana" (30-12-1317) e "Gloriosam Ecclesiam" (23-01-1318).

13. Apud MARSÍLIO. In: DP, p. 452.

14. Apud LAGARDE. Op. cit., p. 19.

15. Id., p. 27. Cf. QUILLET, J. Op. cit., p. 16.

16. Cf. SOUZA, G. Op. cit., p. 39s.

17. In DP, p. 169 in fine capituli, e p. 561.

18. Id., p. 562: "...O Defensor da paz foi concluído no dia da festa de São João Batista, no ano de mil trezentos e vinte e quatro. Louvor e Glória a Ti, Cristo".

19. O lugar habitual era a cidade de Aquisgrana, antiga capital de Carlos Magno. E o arcebispo de Colônia, em nome do papa, devia ungir e coroar o imperador eleito.

20. O fundamento da tese curialista e papal era a célebre decretal de Inocêncio III, "Venerabilem", através da qual a teoria da transferência do Império dos Gregos para os Germanos, por intermédio do Papado, havia sido oficializada.
As outras decretais políticas de Inocêncio III: "Novit", "Per Venerabilem", "Solitae", "licet", "Vergentis" e "Excommunicamus" completam e sustentam a teoria da supremacia do poder espiritual sobre o temporal.

21. Os hereges a quem João XXII fazia referências eram os líderes gibelinos, aos quais fizemos alusão, e Franciscanos dissidentes refugiados em Munique.

22. Há duas formas quase iguais desse documento. A primeira foi elaborada pelos Franciscanos dissidentes refugiados na corte imperial. A segunda, mais resumida, foi publicada oficialmente pela chancelaria imperial. Encontram-se na MGH, Const. et Acta, vol. V, respectivamente nas p. 723-744 e 745-754.

23. Servimo-nos da primeira versão latina do texto citado, cuja tradução aqui introduzimos: "Nós, Luís, pela graça de Deus, rei dos romanos sempre augusto, propomos contra João XXII que se intitula papa, visto ser inimigo da paz, intensificar e suscitar discórdias e escândalos não só na Itália, o que é notório, mas também na Alemanha... e porque é evidentemente claro que ele é o autor de discórdias e semeador da cizânia entre os fiéis de Cristo... também é evidente que no mencionado processo que com mais propriedade deve ser considerado como um excesso, na verdade, a parte citada foi prejudicada, porque nunca estivemos presentes nem ausentes por contumácia nem tampouco nenhuma citação a nosso respeito foi feita, segundo estabelece a ordem jurídica... ele porém subverte igualmente os direitos divino e humano, confere arcebispados, bispados e abadias de maneira parcial a pessoas indignas e de qualquer idade não levando em conta o seu comportamento, desde que sejam rebeldes e inimigas do Império..., porque declara solenemente que a eleição para o trono imperial deve ser realizada em concórdia e que o imperador deve ser eleito pela maior parte dos eleitores, por exemplo, deve ser eleito ao menos por quatro deles. E contudo, nós o fomos não só pela maior parte, ou melhor, por duas partes dos príncipes eleitores como é notório. No entanto ele, considerado temerário, amante da falsidade e inimigo da justiça e verdade, afirma que a nossa eleição foi realizada havendo discórdia..."

24. In § 28: "...Defendeu uma doutrina e asserções venenosas e heréticas afirmando que Cristo e os Apóstolos possuíram bens temporais em comum... Tal afirmação é notoriamente herética, profana e contrária ao sagrado texto do Evangelho... e neste imutável fundamento o almo pai Francisco, testemunha de Cristo, fundou a sua Ordem e a santa mãe Igreja aprovou e confirmou a Regra que Cristo lhe revelou e ele a compôs, através das determinações de inúmeros Pontífices romanos: Honório, Gregório IX, Alexandre IV, Inocêncio IV, Inocêncio V e Nicolau III e IV..."

25. In § 32: "...E juramos perante os santos Evangelhos de Deus que acreditamos em tudo e em cada uma das afirmações que eles contêm, as quais são verdadeiras, e no tocante ao que dissemos poderemos provar contra ele (João XXII), pois segundo o testemunho dos Santos Padres é suficientemente o bastante para que seja julgado como herege. Juramos também, enquanto tivermos forças, prosseguir em nossa luta contra ele, em um próximo Concílio Geral que vier a ser reunido em um local protegido e seguro, para a honra divina e a exaltação da fé cristã e da Santa Igreja de Deus e do Sacro Império, dos príncipes e dos fiéis vassalos e conservação e dilatação do mesmo se Deus o permitir..."

26. Olivier de la Brosse, em seu livro "Le Pape et le Concile", na p. 86, afirma: "...la querelle du pouvoir temporel et du pouvoir spirituel, qui agrémenta tout le Moyen Age, n'était pas encore complètement terminée au début du 14e. Siècle. Mais un fait nouveau apparut à cette époque: l'usage, par les princes temporels, d'un appel au concile... lorsqu'un pape prétend, en vertu de la théorie des deux glaives, annexer le temporel par le bials des sanctions spirituelles, les princes ripostent en appelant de ses décisions devant un concile qu'ils proposent de rassembler..."

27. Esse personagem havia participado no atentado de Anagni contra Bonifácio VIII em 1303.

28. O franciscano galego Álvaro Pais em sua obra "De Statu et Planctu Ecclesiae" opinou sobre Corvara com quem vivera em Roma; Petrum de Corbario apostatam fratrum Minorum, quem corvinum appello, quia ut corvus... furtive ut latro in sede Petri resedit et locum domini papae praedicti viventis non timuit usurpare... cognovi in Urbe verum hypocritam quum conventualis essem ibi Romae in Ara Coeli decimantem mentam et... anetum in quibusdam abstinentis exterioribus et in aperto, abditis loculos compilantem et inter mulierculas romanas quasi continue residentem et gloriam aucupantem et sicut mihi testimonium perhibuerunt minister illius provinciae romanae et custodes tunc quum essemus in magno concílio de facto ejus et aliorum qui ecciesiae et ordini

Ananiae rebelaverunt minus habentem scilicet in castitate et sic fidem paupertatis et munditiae et obedientiae quae sunt legis graviora..."

29. Apud LAGARDE. Op. cit., p. 35, 36, 37.

30. Entretanto o problema logo foi superado quando o papa João XXII proferiu seus célebres sermões sobre a visão beatífica (1331-1332), nos quais afirmava que os fiéis defuntos só gozariam da presença divina após o Juízo Final, contrariando a opinião comum que ensinava que eles veriam a Deus face a face imediatamente após a morte e o julgamento particular. Por isso, mais uma vez aquele papa foi considerado herege e Luís IV achou conveniente suspender as negociações com o Papado.

31. Id., p. 41-42.

32. In DP, III, p. 561.

33. A expressão latina "Princeps" etimologicamente significa, entre outros conceitos, o que ocupa o primeiro lugar; aquele que votava em primeiro lugar entre os senadores romanos; e finalmente imperador, a partir de Augusto, e em tal sentido deve ser entendida lendo-se o *Defensor da paz*.

34. Apud MARSÍLIO. Op. cit., p. 561.

35. O termo usado pelo Jurista Italiano corresponde à "monarquia política" empregada por seus antecessores que escreveram sobre pensamento político. Entende-se o regime no qual o monarca governa observando as leis escritas e consuetudinárias.

36. Apud MARSÍLIO. Op. cit., p. 562.

37. Marsílio chama Luís da Baviera de imperador embora ele não tivesse sido confirmado pelo papa. Não há nada de estranho nessa expressão, pois segundo o Jurista Patavino o imperador não precisava de ser confirmado pelo papa a fim de poder assumir o governo do Império. De qualquer forma a unção e a coroação real tinham grande importância na sociedade medieval enquanto significavam que a pessoa ungida tinha uma missão específica a desempenhar no selo da mesma.

38. In DP, I, cap. I, p. 54-55.

39. In DP, I, cap. IX, p. 90.

40. Id., II, cap. V, p. 214.

41. Cf. QUILLET, J. Op. cit., p. 89, nota 1: "...Là encore, Marsile oppose raison et foi, et de facon parallèle le 'in pluribus et le raro' suivant en cela les notions de la physique aristotélicienne... Ce qui est naturel est ce qui se produit dans la plupart des cas. C'est pourquoi il peut être objet de science et peut être compris par voie démonstrative. Marsile de Padoue emprunte en quelque sorte sa méthode à la physique, qui est pour les averroistes le type même de la science, et articule ses démonstrations autour du schème aristotélicien des quatre causes. Enfin ces démonstrations sont rigoureusement rationnelles en renvoyant soit à l'évidence, soit à ce qu'il appelle l'expérience raisonnable... "

42. Cf. QUILLET, J. Op. cit., p. 194.

43. Marsílio observou os padrões literários empregados em sua época, os quais se apoiavam nos silogismos quando se defendia um ponto de vista, isto é, utilizou o método aristotélico-escolástico.

44. In DP, II, cap. XXX, p. 546.

45. Id., p. 547-548.

46. Ibid., I, cap. IV, p. 68.

47. Aristóteles, Política I, cap. 1º: "...uma cidade é uma comunidade perfeita, possuindo por si mesma a plenitude de sua suficiência, por conseguinte, como se deve dizer, criada em vista do viver, existindo portanto a fim de se viver bem..."

48. In DP, I, cap. XVII, p. 155-163.

49. Cf. DALLARI, D.A. In: "Elementos de Teoria Geral do Estado".

50. In DP, I, cap. VI, p. 80.

51. Id., II, cap. XVII, p. 363-377.

52. João de Paris, alguns anos antes, afirmara, em sua obra "De Potestate Regia et Papali", que o Concílio Geral estava acima da autoridade papal.

53. Cf. FLICHE-MARTIN, vol. XIII, 1. III, cap. III, p. 415s.

54. Editamos em vernáculo esse opúsculo in *Estudos sobre Filosofia Medieval.* São Paulo/Santos: Loyola/Leopoldianum, 1984, p. 175-187. Tomamos a liberdade de sugerir ao leitor a consulta do estudo introdutório que fizemos acerca do mesmo sob o título "Marsílio de Pádua e o *De Jurisdictione Imperatoris in Causis Matrimonialibus*", 168-175, com vista a obter maiores esclarecimentos históricos, em torno às circunstâncias e motivos que levaram o Pensador Patavino a redigi-lo.

55. Traduzimos e publicamos este opúsculo do "Venerabilis Inceptor". In: *Pensamento Medieval.* São Paulo/

Santos: Loyola/Leopoldianum, 1983, p. 176-186. Recomendamos ao leitor consultar nosso artigo relacionado com tal obra, sob o título: "As Ideias Políticas de Guilherme de Ockham na *Consultatio de Causa Matrimoniali*", p. 160-175, a fim de tornar-se mais clara a compreensão dos problemas envolvendo o casal Luís-Margarida em relação ao conflito entre o Sacerdócio e o Império.

56. BAUDRY, L. & OCCAM, G. *Sa Vie, Ses Oeuvres, Ses Idées Sociales et Politiques*, Paris: J. Vrin, 1950, p. 217, nota 6.

Vozes de Bolso

- *Assim falava Zaratustra* – Friedrich Nietzsche
- *O príncipe* – Nicolau Maquiavel
- *Confissões* – Santo Agostinho
- *Brasil: nunca mais* – Mitra Arquidiocesana de São Paulo
- *A arte da guerra* – Sun Tzu
- *O conceito de angústia* – Søren Aabye Kierkegaard
- *Manifesto do Partido Comunista* – Friedrich Engels e Karl Marx
- *Imitação de Cristo* – Tomás de Kempis
- *O homem à procura de si mesmo* – Rollo May
- *O existencialismo é um humanismo* – Jean-Paul Sartre
- *Além do bem e do mal* – Friedrich Nietzsche
- *O abolicionismo* – Joaquim Nabuco
- *Filoteia* – São Francisco de Sales
- *Jesus Cristo Libertador* – Leonardo Boff
- *A Cidade de Deus* – Parte I – Santo Agostinho
- *A Cidade de Deus* – Parte II – Santo Agostinho
- *O conceito de ironia constantemente referido a Sócrates* – Søren Aabye Kierkegaard
- *Tratado sobre a clemência* – Sêneca
- *O ente e a essência* – Tomás de Aquino
- *Sobre a potencialidade da alma* – De quantitate animae – Santo Agostinho
- *Sobre a vida feliz* – Santo Agostinho
- *Contra os acadêmicos* – Santo Agostinho
- *A Cidade do Sol* – Tommaso Campanella
- *Crepúsculo dos ídolos ou Como se filosofa com o martelo* – Friedrich Nietzsche
- *A essência da filosofia* – Wilhelm Dilthey
- *Elogio da loucura* – Erasmo de Roterdã
- *Linguagem corporal em 30 minutos* – Monika Matschnig
- *Utopia* – Thomas Morus
- *Do contrato social* – Jean-Jacques Rousseau
- *Discurso sobre a economia política* – Jean-Jacques Rousseau
- *Vontade de potência* – Friedrich Nietzsche
- *A genealogia da moral* – Friedrich Nietzsche
- *O banquete* – Platão
- *Os pensadores originários* – Anaximandro, Parmênides, Heráclito
- *A arte de ter razão* – Arthur Schopenhauer
- *Discurso sobre o método* – René Descartes
- *Que é isto – A filosofia?* – Martin Heidegger
- *Identidade e diferença* – Martin Heidegger
- *Sobre a mentira* – Santo Agostinho
- *Da arte da guerra* – Nicolau Maquiavel

- *Os direitos do homem* – Thomas Paine
- *Sobre a liberdade* – John Stuart Mill
- *Defensor menor* – Marsílio de Pádua
- *Tratado sobre o regime e o governo da cidade de Florença* – J. Savonarola
- *Primeiros princípios metafísicos da Doutrina do Direito* – Immanuel Kant
- *Carta sobre a tolerância* – John Locke
- *A desobediência civil* – Henrry David Thoureau
- *A ideologia alemã* – Karl Marx e Friedrich Engels
- *O Conspirador* – Nicolau Maquiavel
- *Discurso de metafísica* – G.W. Leibniz
- *Segundo Tratado sobre o governo civil e outros escritos* – John Locke
- *Miséria da Filosofia* – Karl Marx
- *Escritos seletos* – Martinho Lutero
- *Escritos seletos* – João Calvino

EDITORA
VOZES
Editorial